U0064367

劉福春・李怡 主編

民國文學珍稀文獻集成

第二輯

新詩舊集影印叢編　第52冊

【徐雉卷】

酸果

上海：光華書局 1929 年 7 月版

徐雉　著

【甘乃光卷】

春之化石

民智書局 1924 年 10 月版

甘乃光 著

花木蘭文化事業有限公司

國家圖書館出版品預行編目資料

酸果／徐雉 著　春之化石／甘乃光 著 — 初版 — 新北市：花木蘭文化事業有限公司，2017〔民106〕

132 面／102 面；19×26 公分

（民國文學珍稀文獻集成・第二輯・新詩舊集影印叢編　第52冊）

ISBN 978-986-485-151-5（套書精裝）

831.8　　106013764

ISBN-978-986-485-151-5

民國文學珍稀文獻集成・第二輯・新詩舊集影印叢編（51-85冊）

第52冊

酸果

春之化石

著　者　徐雉／甘乃光

主　編　劉福春、李怡

企　劃　首都師範大學中國詩歌研究中心
北京師範大學民國歷史文化與文學研究中心
（臺灣）政治大學民國歷史文化與文學研究中心

總 編 輯　杜潔祥

副總編輯　楊嘉樂

編　輯　許郁翎、王筑　美術編輯　陳逸婷

出　版　花木蘭文化事業有限公司

社　長　高小娟

聯絡地址　235 新北市中和區中安街七二號十三樓
電話：02-2923-1455／傳眞：02-2923-1452

網　址　http://www.huamulan.tw　信箱　hml 810518@gmail.com

印　刷　普羅文化出版廣告事業

初　版　2017年9月

定　價　第二輯 51-85 冊（精裝）新台幣 88,000 元

酸果

徐雉 著

光華書局（上海）一九二九年七月初版。原書三十二開。

酸　果

酸 果

錢 牧 風 裝 幀

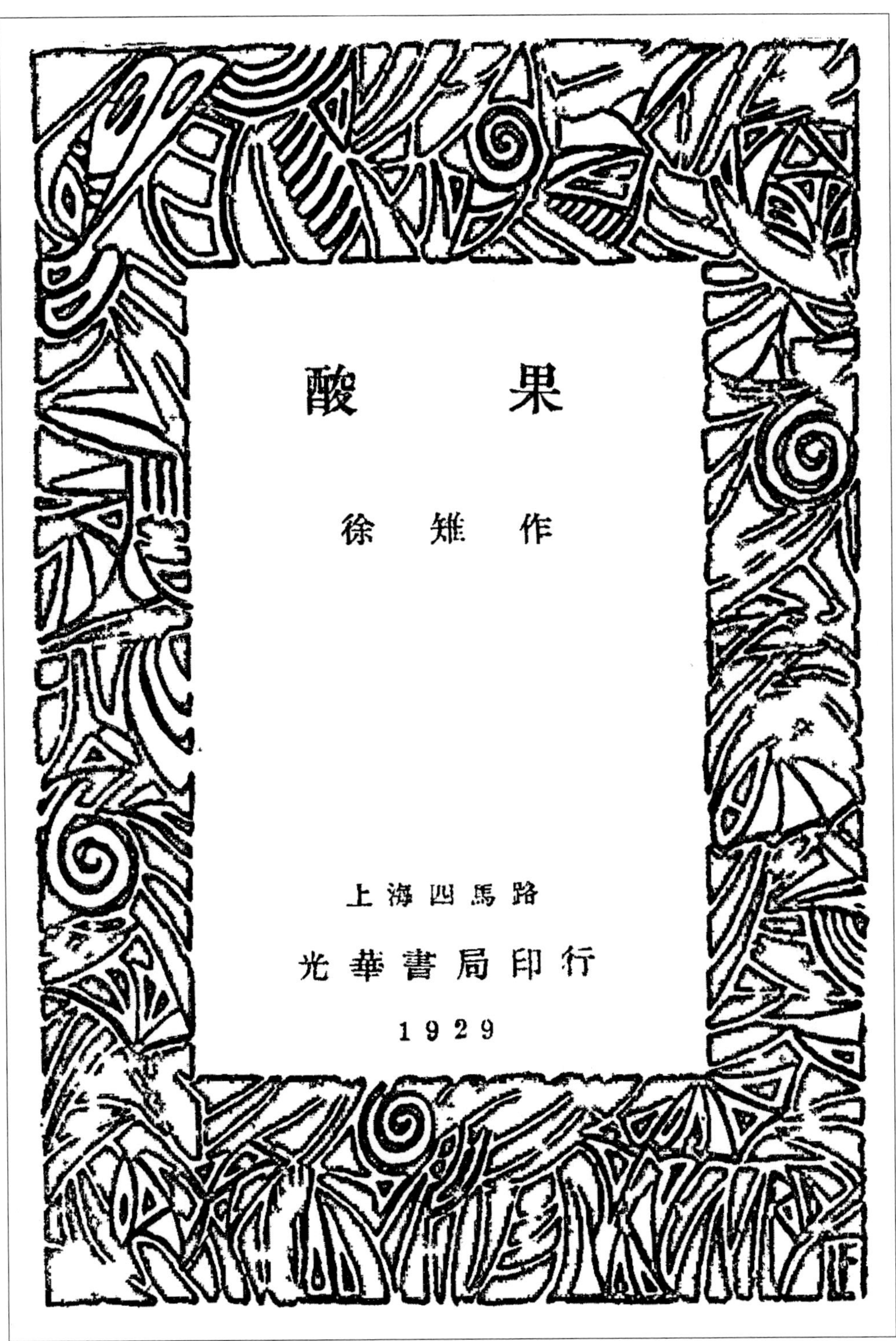

酸　果

徐　雉　作

上海四馬路

光華書局印行

1929

一九二九年六月付印

一九二九年七月發行

1——1500冊

本書實售三角五分

酸 果 目 次

附錄童年集目次

【 5 】

序詩一

寂寞的雉的心，
　在街上到處亂滾亂跳；
想把牠蘊藏着的悲哀，
　讓來往的人們知道。

誰知道他們都大剌剌地
　傍着牠掠過，理也不理牠！
有的說牠礙路；
　有的還用脚踏牠！

每逢雨天，行人倒稀少了，

〔 7 〕

只是路上的濇泥常要汚牠；
晴天呢，濇泥變做了塵沙，
又霧一般的，把牠罩住了！

但牠依舊在街上亂滾亂跳，
從晝到晚，從晚又到朝；
牠祇望有慈祥的人走來，
能用眼淚把牠的悲哀洗掉！

寂寞的雉的心，
在街上到處亂滾亂跳；
想把牠蘊藏着的悲哀，
讓來往的人們知道。

一九二三，一，一二。

序詩二

短小的生命樹上，
居然結了纍纍的果子；
但我不願獨自享受，
所以拿來供諸同好。

果子未熟就摘下來，
怎能免酸澀的滋味？
但我心裏有分給人的必要，
躊躇着………總覺得心急！

假如我母親尙在世上，

我願摘下幾顆紅透的，
笑着，放在她面前。
她定知道是甜是苦，
但是如今，奈何？

又假如我心愛的人，
今日與她他鄉相逢，
我也願請她來摘果子，
但我與她，今又何如？
如今我只自採自摘，
一顆一顆送與人們，
山珍海饈，我都沒有。
患着精神的飢渴的朋友們呀，
這些酸澀的未熟之果，
我把來裝在玉盤上，
並高擎着兩手，敬奉獻給你們。

一九二三，三，四。

酸　　果

我母親的故事

我每逢吃魚的時候，
一縷酸意便牽動我的心念，
如夢的幻景，
一剎那間
展示在盛魚的碟子上了：
在一間軒敞淨明的客廳裏，
父親和兩個異母所生的姊姊，
一塊兒吃着飯。
母親呢，
却在廚房裏和傭婦同桌。
傭婦想討姊姊們的好，

[11]

把一碟生蟲的醃魚，
擺在母親面前；
母親吃了幾筷魚，
從已瞎了一隻的雙眼裏，
忍不住滾下幾顆淚珠來。
但父親不經意的笑聲，
兩個姊姊朗朗的談話聲，
傭婦冷酷的譏刺聲，
把母親的哭聲輕輕地掩過了！

　　我每次上樓梯的時候，
　　一縷酸意便又刺到我心裏，
　　一件不能忘却的事實，
　　電影一般地
　　紛紛映演在扶梯上了：
母親站在一座樓梯下，
她那時正害着重病。
她實在撐不住了，

想抱着我——那時我只三歲——
同上樓去睡覺。
但她痙攣着的那雙手，
那裏抱得我起？
也沒有人走過來幫助她！
最後她似乎想到了什麼了，
她把縛在我腰間的帶，
緊緊地銜在她嘴裏，
她左手托着我的身體，
右手扶着欄杆，
便這樣一步一級地，
把我曳上去了。

一九二二，十，二七。

在母親的墳墓前

在母親的墳墓前，
我嚶嚶啜泣着；
但我知道她的確不會死，
雖然她的身體早已冰冰地冷了！

她的精靈：
化爲明媚的孤月，
和閃爍的繁星；
化爲墳上的綠草，
和草間的夜露；
化爲墓傍的大樹，

和樹上的鳴鳥。

當我跪在墳前哭泣的時候，
鳥兒帶着哀調高唱着，
我知道這是母親在唱催眠歌了；
樹枝在微風中搖曳着，
我知道這是母親在對我點頭了；
草間的夜露，映着月光，一閃一閃的，
我知道這是母親瑩澈的眼淚了；
繁星孤月的幽光照在我的面頰上，
我知道這是母親溫和的微笑了。

在母親的墳墓前，
我嚶嚶啜泣着；
但我知道她的確不曾死，
雖然她的身體早已冰冰地冷了！

一九二三，二，一。

母親的哭泣

告訴我罷，母親，你爲什麽哭呢：
你的手帕全濕透了，母親，
你的眼睛全紅腫了，母親，
你又受了爹爹的欺侮了嗎？
母親，爹爹眞是不好！以後你不要睬他就是了。
爹爹不和你好，不要緊！我總和你好。
你不高興的時候，我要唱最好聽的歌給你聽；
你一個人覺得冷淸淸的時候，我要親密地和你接吻；

當我放學回家時，我要把先生對我講的故事背給你聽。

母親，等我將來像哥哥那麼長大時，我定要賺盤千盤萬的錢給你；哥哥也有分；爹爹和姊姊，我一個錢都不給他們，因爲他們常常欺侮你。

但是，母親！母親！你爲什麼不開口呢？

母親，你不要睬姊姊，我最怕的是姊姊；他們常常欺侮你。

但是，母親，你爲什麼還是這樣的哭個不了？

你面上的脂粉統統給眼淚洗掉了，

你倒底遇着了什麼事，使你這樣悲傷呢？

母親，我每逢哭泣的時候，你總是說：“寶貝！不要哭！媽媽買糖給你吃。”那末；你現在爲什麼也哭起來，而且比我哭得更厲害呢？

[17]

母親,要是你老是這樣的哭泣,我也要哭了!那時,你若再對我那樣地說:"寶貝!不要哭!媽媽買糖給你吃。"我可不答應你了。

一九二二,十一,二。

微　笑

我把父親對我的微笑，
比成着夏天熾烈的太陽。
在他嚴肅莊重的笑容裏，
總帶着責罵的神氣，
似乎說：
"這次饒了你，
下次不要再這樣！"

我把母親對我的微笑，
比成着秋夜幽潔的月光。
在她溫柔和藹的笑容裏，

[19]

總帶着呵護的態度，
似乎說：
"寶貝！不要嚇！
有你的娘在這裏。"

一九二二，十一，一。

熄了的心靈之微光

在窗外
皓潔的月光照亮着，
晶瑩的星光閃爍着；
在室內
暗淡的燈光又顫索地搖擺着。
但我一線心靈之微光呀，
永遠只是熄着！
永遠只是熄着！

我對着窗外晶瑩清朗的星月，
和室內暗淡靜悄的孤燈，

不住地凝眼追思着，
如見十一年前的影事，
在我眼簾外，
模糊地掩映着，
懇切地湧現着。

那時候我只九歲，
　九歲的兒童又曉得什麼？
但仁慈的上帝
　教他和一個女孩子相識，

相識本不必相愛，
　但仁慈的上帝說：
“愛她！我的兒子！
　從今後更莫把她忘却！”

永生的上帝把她的音容，
　深深地鐫在我心中。

我但能永久愛着她；
　磨滅了我，才能磨滅她！

當時我在小學校裏念書，
　她便屢屢來尋訪我；
我聽慣了她衣裳綷縩的聲音，
　見慣了她手中攜着的鮮花。

花是我所愛的，
　她也是我所愛的；
我用淚珠養活她給我的花，
　因爲我愛花便是愛她！

小朋友們見了她，
　問我她是我的誰；
我漲紅了臉回答說：
　"她是我的好……不！是我的妹妹。

[23]

她愛穿長的男袍和一字襟背心，
　一條溫香烏黑的髮辮緊貼在背後；
但她那男孩子的裝束，
　又怎能遮掩住她眉尖的嬌憨？

光陰風馳電掣一般的過去，
　我生命之書上也添了不少戀愛的事
　跡，
終於有一天她含着淚對我說：
　"親愛的！我們要暫時相別！"

睡着了終須有醒時，
　別離了想有再會期。
我們不怕不再相見，只要我們活着，
　何況生離終究勝於死別！

如今呵——她的消息，只是杳然！
　將來呵——前途渺茫，更費疑猜！

也許此後不能再見，
　可憐！相逢只在夢裏。

夢裏相逢只是默默無言，
　醒來時更覺悽悽，
但是，上帝呵！我總是愛她，
　我又怎能把她忘記？

以後的事怎樣呢？
　這只有上帝曉得了！
也許將來我生命之書上要滿渲染着血和淚。
　啊呀！我不能再想下去了！

在窗外
幽潔的月光靜照着，
晶瑩的星光微閃着；
在室內

[25]

暗淡的燈光又顫索地搖擺着。
　但我一線心靈之微光呀，
依舊那樣地熄着！
　依舊那樣地熄着！

一九二一，十二，二十。

風　兒　啊

風兒呵，請你告訴我她住着的地方。
在天之涯？
在地之角？
在海之濱？
假使我能尋着她呀，
又假使她能像蜜蜂一樣地飛到我面前
呀，
我料我早已把我的血濺在她懷裏！
我料我早已把我的淚灑在她裙邊！

天上的行雲呵，請你告訴我她住着的地

[27]

方。
在天之涯?
在地之角?
在海之濱?
假使我能尋着她呀,
又假使她能像蝴蝶一樣地飛到我面前呀,
我情願用眞哪噠香膏塗抹她的脚跟,
我情願把茉莉花花圈圍住她的頸項,
而且教天空中無量數的星辰去照耀她的美麗,
而且教地面上無量數的歌鳥去讚美她的美麗。

天上的月兒呀,請你告訴我:
她現在到底是活着呢,或是死了。
倘若是死了,
那末,上帝呀,這是可怕的事!

倘若她是活着，
那末，月兒呀，請你到她那裏去，
而且勸她不要做夢，
就使做夢也不要夢着我！
夢着我不是反使她悲傷？

哦！這裏不是從我心絃上彈出來的情詩？
但是現在且把牠焚燒了罷！
這裏不又是從我靈魂裏顫出來的情歌？
但是現在且把牠忘記了罷！
朋友們，從前我的詩全是爲着她做的，
現在我的心琴已碎了，
你們將永不能再聽到我的詩聲！
朋友們！從前我的歌也全是爲着她做的，
現在，我的靈魂已死了，
你們將永不再聽到我的歌音！

哦！這裏不是她從前贈給我的花兒，

而且每天把我的淚珠兒養活牠?
但是現在流不盡的眼淚也已涸竭了,
無罪的花兒呀,請你恕過我罷!

一九二一,十,五。

歡　樂

（一）

越追憶起已往的歡樂，

　越使我想到現時的，孤獨的悲哀；

悲哀的網緻密地將我包圍着，

　而已往的歡樂却一去不再來！

（二）

多少我可以找着些安慰，

　從過去迷茫的記憶裏；

譬如吃了諫果有回味，

　齒頰間猶覺甘如飴。

（三）

有了她

我就像有了全世界；

有了她

我也願忘却這世界。

（四）

她剖甜瓜給我吃，說：

"這是我的心，純潔無比；

如今把一半兒給你，

一半兒留給我自已。"

（五）

我拿出兩塊絲帕給她看；

隨她揀一塊去，藏在胸間。

她却揀去一塊舊的，

因爲牠上面有我的淚痕斑爛。

（六）

一天，我又到她家裏去，

她正午睡未起，幃幔低垂。

我旣不願喊醒她；

也不願逐卽折回；

若是枯坐着等她醒時，

又覺得有些不好意思。

正躕躕間，方法來了！便是：

伏在客廳裏茶几上裝假睡。

（七）

哦！這麼飄渺微妙的音樂！

這一定又是她在奏琴了。

我那遊絲般的心，

便隨着琴聲，飛到她那邊去了。

（八）

在她溫軟如玉的手背上，

我重重地吻了幾下；

後來索性把她的小拳頭，

全個兒塞在我嘴裏了。

一九二三，二，一六。

[33]

一切都不是她的

她有櫻桃般的嘴；
她有楊柳般的腰；
有與象牙爭白的粉頸，
和那烏雲同黑的雙鬢。
憑她的同伴怎樣羨慕與妒忌，
她總是說：
"這些子都屬於爹娘，
我沒求得，怎好說是我的？"

她眼眶裏充滿着光亮的淚珠，
像水晶一樣；

[34]

她心窩裏深藏着甜美的愛情，
像蜜糖一樣；
她血管裏流動着鮮紅的血液，
像珊瑚一樣。
但是她說：
"我已把這些子贈了我愛，
我但爲他保護着這淚珠，愛情和血
液。"

她有安逸的靈魂，
純潔而無瑕。
"那末靈魂總是你所有的了！"
她却微笑地回答說：
"靈魂嗎？
一半兒屬於我愛，
一半兒是在上帝的掌握中，
那更不是我的了！"

一九二二，九，五。

[35]

憶鎮海女郎

我家近大陸，
　雨水不常見；
你家在海邊，
　大雨撲人面，

雨水不常見，
　因雨憶及你。
憶你而不能見你呀，吾心酸！
　憶你而你又不知呀，吾腸欲斷！

因雨憶及你，

　禁不住涕泗漣漣，
問何時得和你重相遇，
　同坐海邊觀雨？

禁不住涕泗漣漣，
　且莫將往事重提起，
怕只怕，從今後，依舊人分兩地，
　我住在大陸，你在海邊。

一九二二，八，一二。

[37]

黃金和石頭

愚笨的人把得來的黃金，
　深深的埋在地窖中；
還得鎖口裏看守牠，
　怕被竊賊偷了一空。
告訴你，愚笨的人！黃金雖多，
　原和石頭一樣沒用！

愛情有時候像一塊黃金，
　有時候又像一塊石頭。
你若不能好好兒用你的愛情，
　祗知道把牠密密地藏在心頭；

那麽，牠雖和蜜糖一般的甜美，
　也不過是一塊沒用的石頭！

九歲時，我把我的生命和一切
　統統交給一個年輕的姑娘，
她是我惟一的靈魂，
　她的愛是暗中導我的清光。
那時，我的愛情纔是燦爛的黃金，
　這件事，在我記憶中，永遠不會忘！

萬能的上帝教我們聚首，
　又教我們彼此分手。
她倒安然的去了，
　我却從此孤另另地到處飄流。
從前我黃金般的愛情，
　不多時又變成了石頭！

感謝上帝給我海樣深的愛情，

　但我以後只好屈牠做一塊石頭；
因爲我已專心愛過她，
　此外更沒有何種希求！
茫茫的宇宙啊，除了她，
　更誰可以做我終身的朋友？

一九二二，十，二八。

祇要你愛我

吾愛！

　　你要駡我時，

——祇要你愛我——

　　我就讓你駡罷！

你的駡聲，便是

世界上最美妙的音樂喲！

吾愛！

　　你要打我時，

——祇要你愛我——

　　我就讓你打罷！

但祗怕反傷了
你那鵝絨一般的嫩手呵!

一九二二,八,四。

願爲情而死

吾愛！假使你是一個漁人。
　那末我情願化做一條魚，
把我的嘴兒
　掛在你的魚鉤上。

但是，吾愛，你釣得了這條魚兒後，
　將怎樣處置牠呢？
還是放牠在玲瓏的玻璃缸裏，
　或是把牠殺了？

你也許要那樣地說道：

[43]

"還是殺了牠吧！
那時，我將笑而不辭：
"吾愛！請就此下手！"

一九二二，七，二一。

有 夫 之 婦

從前我們年輕的時候，
　他是我的好朋友，
我們慣常在海邊的沙灘上嬉遊，
　不知道有夜，也不知道有晝。

不知道有夜，也不知道有晝；
　不知道有晚，也不知道有朝。
但見深藍色的海水，和着我們嘯！
　但見張着帆的船兒，跟着我們跑！

我每聽着他的名字，何等使我心跳！

［ 45 ］

在海邊平平鋪着的沙上，我用我的
指爪
不曉得把他的名字寫過多少！
但隨後一陣海風又把牠吹平了！

一陣海風把沙上的名字吹去，
却終不能把深鐫在我心中的他也吹
去！
我曾設誓：除了他，我再也不愛別人，
祇爲了父母之命不可違，平白地把
我終身誤！

自我嫁後，便好久不見他，……一天，
我正在溪邊淘米，
靜默默地聽着流水的潺潺：
忽的瞥見溪中倒映着一個頎長的人
影，
原來是一位體面的美少年，站在我

的身邊。

"哦！這正是深深地鐫在我心中的他！
　過去的回憶便這樣暗暗地提醒我
　了。
雖一別六年，他呀，却還是從前的他；
　可憐我呀，已不是一個尊貴的處女
　了！

我們彼此傾吐着別後的積愫，我禁不
住哭了！
　淚珠兒落在溪中，和溪水融合而同
　流。
他拿出一方鵝毛般的絲巾，替我拭淚，
　却不覺得他自己的眼淚，早已濕透
　了衣袖！

他性格兒多麼溫柔！他待我又多麼懇

[47]

歎!

不知世界將變成怎樣，假使我能和
他結婚?

親愛的! 從今後不願你愛我，但願你
恕我，——

恕我從前的清白身，到如今已屬了
他人!"

在夕陽西下的時候，他滿載着悵惘回
去了。

我呢，目不轉睛地看他的背影，依舊
呆呆地站在溪邊。

樹林中一抹晚霞，好像正在為了我泣
血!

流聲淙淙的溪水，也好像為了我傷
心而嗚咽!

地球上沒有不落的太陽，也沒有不散

的華筵；

我們這一次感傷的會合，也就此終

止了，

我幾次想追上去，和他作最後的接吻，

但我沒有勇氣，終於抓着癟米的竹

箕回家了！

便是蜜蜂，也知道繞着牠所心愛的花

嗡嗡的叫；

便是小孩子，也知道揀自己喜歡的

東西向人要；

惟有我呀，有欲愛的人而竟不得愛！

只是低首下心，給禮教之繩束縛得

牢牢！

便是監獄裏的罪犯，也許有重見曙光

之一天罷；

便是沈淪中的妓女，也終有一天給

她的愛人贖出來；
惟有我呀，有欲愛的人將終身不得愛，
我寂寥的心裏，將永遠葬着灰色的
悲哀！

一九二二，九，三十。

私　　贈

莫說相見爭如不見，
　不見了，便終日愁眉不展；
更莫說不見不如相見，
　見了你，也祇有淚眼相看。

到底我負你？
　到底你負我？
幾次思量過，
　還是禮教負你我！

一九二二，十二，二八。

[51]

簡單的回答

"姑娘！我很愛你，
你也愛我嗎？"
"我不愛你！"
她這樣簡單地回答說。

"少年！我不愛你，
你將怎樣呢？"
但我的答辭却比她還簡單：
"死！"

一九二三，三，一九。

孤獨者的煩悶

（一）

戀愛慾還沒有滿足，
食慾倒先減了！

（二）

早已買來了
一束五色的信箋，
是寫給情人用的；
但誰是我的情人呢？

（三）

姑不論
是單想思，還是啞想思；

也姑不論
想思的滋味是甜的，或是苦的；
可憐我
連值得我想思的人都沒有喲！

（四）

當我在路上
瞥見了一對少年戀人
並着肩挽着手兒走着時；
我的頭便低下去了！

（五）

我慢騰騰地
走到母親的墳前，
眼眶滿含着酸淚：
"呵母親！
我在這裏。"

（六）

晚上我故意不關窗，
好讓明月進來伴我；

但逢着陰天，沒有月兒呢？

（七）

夢裏彷彿有人愛我；

但更夫的擊柝聲，

又把我和平而甜蜜的夢敲碎了！

（八）

我是個

生命的長路上孤獨的旅客喲！

（九）

貴發！你不要儘管和他吵鬧，

你總得讓他一些，

他是沒有母親，怪可憐的！

（十）

壁上的畫，

和架中的書，

是孤獨者僅有的伴侶。

（十一）

不知怎的，

一說起"死"
我就會聯想到已死的母親。

（十二）

我的心是一隻酒杯，
而異性的愛情
便是那甜蜜的葡萄美酒。

心杯鎮日裏仰望着，
想承受些愛情之酒；
誰知道期待着好久好久，
而今杯中空空，
還是一無所有。

（十三）

越是在大庭廣衆之間，
我越覺得孤獨。

（十四）

死有什麼可怕？
便是死了，
也不過變做一個孤獨的鬼。

（十五）

煥璈輕輕地對我說：

"修人因為你有兩年不歸家，

他很覺得奇怪。

他自己却每天只是想回家！

你知道他家裏還有母親……"

我不等他說完，

就嗚咽的哭了。

（十六）

我返觀自身，找徧頭脚，

有什麽值得人愛憐的地方？

我只有：

醜陋的面貌，

骯髒的肉體，

被污了的靈魂……

（十七）

沙漠鋪在孤獨者的心頭，

而天堂的基礎却築在戀愛上：

（十八）

上帝怕不是
一個最巧妙的創造者罷！
因爲女子晶瑩的眼睛，
——也是他造出來的——
只能瞧見我醜陋的外貌，
却看不見
我心裏海樣深的愛情。

（十九）

阿蕙！
有幾年沒看見你，
現在長成得像個大人啦。
我記得你母親死時，
你祇有三歲哩！

（二十）

假如我有戀人，
我可以不信上帝，
因爲那時

她將做我唯一的心的主宰者。

（二十一）

無聊——還是往酒店裏去罷！

獨自一個人去，

獨自一個人囘來。

（二十二）

樽酒

洗不掉孤獨者的煩悶，

却化做光亮的淚珠，

一齊從心房深處湧出！

（二十三）

我獨自個冷清清地

在大街上亂轉，

一個年輕的嬌娘向着我跳過來，

近了！……漸漸的近了！……更近了！……

我的眼光連忙移向別處。

嗳！可怕的誘惑！

[59]

（二十四）

母親！
你是大樹的軀幹，
我是枝葉。
樹幹倒了，
枝葉將何所寄？

（二十五）

淚兒呀！
你流！你流罷！
你流！像瀑布一般的流罷！
你流！像海水一般的流罷！
你把這世界淹沒了罷！
你把我也淹死了罷！

（二十六）

唉！這挽留不住的青春，
將從孤獨者飄泊無定的生活裏，
風馳電掣似的逝去了！

（二十七）

小孩子忽湧忽收的眼淚，
好像夏天大點子的陣頭雨；
不過青年的淚水，
却如春雨濕春林，
迷濛地來又不來去不去！

（二十八）

不知道在什麼書裏，
碰見了"孤獨"這個字；
我的眼光便被牠趕住了。
忽然間牠幻作一隻猛虎，
張牙舞爪地向着我撲過來，
隨後又急急地把我一口吞下。

（二十九）

"情人！"
這是多麼好聽的字眼！
你只要喊一聲"情人，"
你便是一個音樂家。

（三十）

朋友們！我死後，
你們可以在我的墓碑上，
這樣大書特書的寫着：
“這裏面躺着一個孤獨的少年，直到
永遠，……”

（三十一）

偶然在河邊小立；
潸潸的流水，
祇照着我孤寂的影子！

（三十三）

原是一封很平常的信；
祇為的是
一個不相識的女郎寫給我的，
便格外珍重地把牠藏起來了！

（三十三）

若是愛情可以賣的，
我情願把我的
挑着沿街喚賣；

橫豎我自己終歸用不掉，
倒不如賣給別人去用的好！

（三十四）

朝得愛，
——戀人的愛——
夕死可矣！

（三十五）

一隻飛蛾
撲到火燄中死了，
這雖然引起了
許多人無端的誹笑，
却使我深深地羡慕了！
我想：
就使愛情是一個猛烈的火焰，
我也願化做一隻飛蛾，
甘心爲牠而死！

（三十六）

我的心天天向我這般唱：

[63]

你不要再使我這樣流浪了！
我倦了！我太倦了！
替我尋個歸宿處罷！
高山也好，平地也好，
荒蕪的田野也好，
迷茫的沙漠也好，
陷在淤泥裏也好，
黏在蛛網中也好，
我倦了！我太倦了！
我不能再到處流浪了！”

愛情的花

我的愛情關不住了，便化做兩行熱淚。我偶然在一座荒蕪了的花園裏散步，我的眼淚不經意地落在草地上，草地上就立刻開了一朵美麗的花，是世界上一向所沒有的。

園裏的蜜蜂，從來不曾聞過花香，如今瞥見了這朵花，便繞着牠飛翔，徘徊不忍去。

杜鵑看見了這朵花，以爲顏色太淡了；便從潔白的胸膛裏，啄出些緋紅的鮮血來，灑在這朵花上。

隨後一個年輕的姑娘，打那裏走過，瞧見了這朵花，便用她圓潤的嘴吻牠，用她柔膩的手摸牠！

她那玫瑰色的面龐，被花映着，越顯得嫵媚可愛。她覺得這朵花非尋常可比；牠的美麗，純潔和香氣，竟使她走不開了。

那時我可以輕輕地蹔到她身邊，對她說："姑娘!這朵花是我的眼淚化成的，而我的眼淚又是我的愛情化成的。無論誰家女郎，只要她是和這朵花一樣美麗的，如果愛牠，就可以把牠拿去。現在你正是配享受牠的人，那末，我願把牠送給你。"

假如她不肯拿去，我便要放聲大哭，我的眼淚將溼透她的衣裙，我將把我的花撕得粉碎，讓蜜蜂去憑弔牠的伴侶，讓杜鵑去爲牠泣血，讓地上的淤泥去遮住牠的美麗，更讓烈日炎威暴風驟雨去摧殘牠，侵蝕牠。

又假如她願意接受牠，那麼，我的愛情便有了着落了。雖然我的心依舊是空虛的，但多少總可以得着些安慰了!

一九二二，一一，二十。

心的輕重

有了戀人的人，
他的心是重得不能再重了，
無論誰都搬牠不動的；
因爲有異性的愛情
重重地——而且緊緊地——壓在牠
上面。

沒有戀人的人，
他的心却是
輕得和空中的遊塵一般，
一陣微風便可以把牠吹起。

[67]

我可憐的心呀！
從前我有戀人的時候，
你是多麼重！
如今呀，你又是這樣的輕！
所以有時在大街上，
我驀地裏遇見美貌的女子，
從她迎風飄拂的額髮裏，
從她紅如夾竹桃的面頰上，
沁人鼻脾的香氣，
一陣一陣的撲過來，
我的心便立刻躍躍的跳動起來，
好像要飛到她懷裏去似的；
因爲牠是最輕不過的！
因爲牠是最輕不過的！

一九二三，二，二三。

乞　丐

"唪！可憐的乞丐！什麼是你所最需要的？你需要麵包？"一個富人這樣說。

"麵包我固然需要，但不是最需要的；因爲麵包只能療我物質上的饑餓，而不能療我精神上的饑餓。'

"那麼，金錢呢？"那個富人又說。

"先生！金錢我也不要；活着的時候旣然拿不到手，死後又帶不去。我需要一件永久的，而又不會磨滅的東西。"

啊！我猜着了！原來你所最急切地希求的是名譽，是不是？"那個富人很得意似的說。

"哼！我要名譽做什麽！當我被煩悶之濃霧罩籠着時，名譽不能把那濃霧吹去；當我在黑暗裏踽踽獨行時，名譽又不能放出一線光明來引導我，所以我也不要牠。不！决不！"

跟着一個少年音樂家踱過來，他對那個乞丐說：

"麵包旣不是你所最需要的，金錢和名譽你又不要，那麽，天才呢？在我看來，天才實在是世界上最寶貴的東西，我愛天才，猶如世人之愛金鋼鑽。倘若你願意，我可以把我的，分一半給你。你有了音樂家的天才，就可以把你蘊藏在心的深處的悲哀，譜入哀怨而凄切的琴絃。在慘淡孤寂的夜裏，在瀉蕩着如銀的月色的森林下，你能彈出一切和平而美麗的夢；在這夢裏，你會遇見你那已死的母親，你會找得你那理想中的戀人。你又能彈出一切奇特的幻想；在這幻想裏，一切逼壓着你的東西都消失了，你將暫時忘記了你的痛苦。而且，你的愴惻的琴聲浮到天空中，天空中掛着的繁星和孤月，都將失掉了牠們的光明；你的琴聲落在汪洋的大海裏，海水就會掀起極大的波浪來；你的琴聲穿到寂寞的深閨裏，閨中的少女便會嗚咽地哭起來。……”

“我雖沒有音樂家的天才，我却時常站在街頭吹簫，我的悲哀，在神秘的音樂的波浪裏面震蕩着。但是那些來來往往的路人，只是大剌剌地從我身旁走過，誰也不理我，也不給我一些安慰。我的簫聲，不能不說是悽慘而動人，但總不能引起他們的同情！憑你有多大音樂家的天才，他們的鐵石一樣的心腸，又堅，又硬，又冷，决不是一種脆弱微小的哀歌所能搖動的。試問我要天才做什麼？復次，天才也是靠不住的，因爲牠也有盡的時候。人之有天才，好像燈之有油，燈裏的油，若不是時常加添，便要涸竭，而天才呢，不獨照樣要涸竭，甚至想加添些也是不可能的。所以天才我也不要。”

最後，一個清麗的女子，左手提着一籃鮮花，姗姗地走到乞丐的身邊。她凝着眼汁意他，她的眼波冷靜得和彫像一樣，而且說：

"唉！乞丐！我知道你所需要的是什麽了！我知道你所需要的，是一顆少女的心，裝滿着純潔的愛情，是不是？一個人若是滿腔的愛情無處寄託，或是得不着一些異性的愛情，就好像沙漠中的旅客找不到解渴的水一樣，不久他的生命便要逐漸地枯萎下去！富人祇能給你麵包，金錢和名譽；音樂家只能給你些天才；但我能給你愛情，你所最需要的。我願永久愛着你，我願把這盞花——愛情的象徵——贈與你。"

於是乞丐灰白的面龐，漸漸地紅潤起來，因爲現在他的血管裏有了新生命了！他感激的眼淚，珍珠般的滾下來，他回答說：

"愛情？異性的愛情？這正是我所最需要的！這正是我所最需要的！麵包只能療我物質上的飢餓，惟有你的愛纔能療我精神上的飢餓！金錢死後是帶不去的，天才也有涸竭的時候，惟有你的愛纔是永遠不會磨滅的東西！名譽不能給我一些帮助，惟有你的愛纔是衝破煩悶之濃霧的太陽！纔是黑暗中引導我的光明！”

一九二三，一二，二。

哭

受不住痛苦和壓迫——
還是嗚咽地哭罷!
哭本是弱者對付強者唯一的手段
呀!

"你若再哭,我便打死你!"
這不是晚娘辱罵的聲音?
唔!原來哭的自由亦不容易得到呀!

一九二二,六,一四。

殘廢者

（一）瞎子

瞎子呀！在現實的世界裏你是個瞎子，

難道在夢裏你也看不見什麼嗎？

（二）跛足者

跛足者呀，小心些！

世路是這樣的險：

我們好好兒有健腿的，

尚嘆行路難，

何況你呢？

（三）啞子

以人言為可畏因而常閉口的先生們

呀!

啞子却是你們最好的導師了。

（四） 聾子

當該咒罵的，可怕的槍聲起來時，

我恨不能變做一個聾子呀!

一九二一，十，六。

石　　路

獨輪車軋軋地在路上拖過，
　印出一條模糊不明的痕跡。
石路的胸間受了傷，
　在那裏呻吟而嘆息。

他向着車夫哀聲說：
　"我天天在重擔底下度日，
遭了車輪的蹂躪和踐踏，
　我的傷口不知幾時纔能合？"

車夫低頭不語，

[77]

曳着車更急促的向前进；
他本不曾想到自己的命運，
更何能想到石路的命運！

一九二一，九，四。

旁觀者

旁觀者呀!
勝利者得意的微笑,
你們也已看飽了;
且回頭瞧瞧那些
被損害者慘淡可憐的淚容罷!

一九二二,六,一四。

跛足的狗

在一條只容一人往來的田塍上，
我獨自個戴了夕陽走着。
一隻狗向着我踱過來。
牠忽然在離我七八步路外伏着不動，
用牠的倦眼很膽怯地偸看我。
當我將走近牠伏着的地方時，
牠從地裏跳了起來，
從我身邊飛跑過去，
好像怕我要追牠似的。
我回頭一看，
那可憐的畜生只有三隻脚，

我便覺心中失了什麼似的，
眼眶裏滿噙着同情的淚，
呼吸覺得沈重了些，
脚步也慢慢的遲緩了。

一九二一，一一，十．

送給上帝的禮物

一羣小孩子工人窮人和詩人站在天堂的門外，都要想進去。

天使先對小孩子說：

"你從人間帶了什麼禮物來獻給上帝，表示你的敬意?"

"我是一個私生子。我的爹媽因爲受不住人間惡毒的咀咒，就把我拋棄了。我沒甚麼可以送給上帝，我只有一顆純潔無瑕的靈魂。"

天使又對工人說：

"那末，你呢?"

"我在人間每天要做十三點鐘的工作，還是不能得一飽，也沒有一個人可憐我。我還有什麼禮物可以獻於上帝之前呢？我的血汗都被那些資本家榨完了！"

天使又問窮人道：

"你的禮物是什麼呢？"

"我是個無產階級者，除了赤條條一個我以外，什麼也沒有！感謝上帝，因爲他賜給我肉體和靈魂；現在我只能把他賜給我的，仍舊完完全全歸還他"。

最後天使潔白的臉向着詩人說：

"詩人！現在是你說話的時候了"。

於是詩人含着淚悲聲說：

"我在人間，耳所聽見的，只是殺人和喊救的聲音！眼所看見的，只是黑暗如漆的宇宙！鼻所聞着的，只是臭穢的血腥氣！我眼眶裏的淚珠兒傾瀉如瀑！我周身的熱血沸騰得好像在那裏燃燒！我送給上帝唯一的禮物，便是"現時代的悲哀！"

天堂的門呀的一聲開了，他們便陸續地進去。

一九二二，十，十四.

[83]

被汚了的靈魂

你可知嬰孩第一次哭聲的意義?
小孩出世時,帶着純潔無瑕的靈魂。
他看見環繞四周有罪惡的人們,
把他們自己的靈魂毫不顧惜地丟掉了,
他便從心坎兒裏,顫出弱微的聲音來,
很驕傲地對那些有罪惡的人們說:
"你們把可貴的靈魂丟掉了,但是我有靈
魂呀!"

當我初生的時候,
我也曾從我靈魂裏,顫出弱微的聲音來,

表明我是一個純潔無瑕的靈魂。
不幸的是魔鬼隱伏在門傍，
乘機很詭譎地向我說道：
"你看：
人們都把靈魂的重擔卸下了，
又把牠擲在濘泥裏；
現在他們雲裏霧裏非凡舒服。
你爲什麼不把你的靈魂丟掉呢？

我當時爲了一時的衝動，
墮入魔鬼誘惑的圈套中；
把我的靈魂狠命地摔在濘泥裏。
從此以後，我便在煩悶的濃霧裏被罩籠着；
罪惡不停的跟着我；
微笑也不在我的頰上寄牠的遊蹤；
痛苦圍困我，像一道牆一樣。
可憐我坐在人生的船裏，任牠東西飄蕩，

[85]

到底找不着幸福的岸。

現在我的心絃又撥動了！
我的生命之火又燃着了！
我已從長期的夢裏醒轉來。
但當我把已失了的寶貝很鄭重地拾起來的時候，
我禁不住一陣心酸；
我的眼淚像斷線的串珠一般的滾下來。
看呵！這不是我做孩子時純潔的靈魂？
卻被那滿泥弄污了

一九二一，九，三。

死的究竟

朋友們常拿死來嚇我，
不過我是不怕死的，
因爲我曉得死究竟是什麼。

我曉得死就是休息；
死之高原就是休息的場所。
你若在生命的路上走得倦了，
便不由你不尋個地方休息！
不由你不叩死的門！

我曉得死究竟是什麼，

【87】

所以我是不怕死的，

然而朋友們常拿死來嚇我。

一九二二，八，五。

一 籃 花

（一）

倘若我的愛人送我一籃芬芳的花，
那末，我將怎樣呢？
自然，我將微笑地握着牠，
像我握着她柔荑似的兩手一樣；
我又要甜蜜地吻着牠，
像我吻着她薄呈紅暈的雙頰一樣；
最後，我還得鄭重地向她說：
"親愛的！但是我應該怎樣的報答你
呢？
哦！有了！

〔89〕

我情願把我珍珠一般的淚都送給你，
我情願把我胭脂一般的血都贈與你，
我情願把我靈透的心籢，裝滿着愛情，挖出來給你。

（二）

倘若一個美麗的小孩子把一籃鮮豔的花送給我，
那末，我又將怎樣呢？
或者我將很婉轉地謝絕他，
我將很慚愧地在他面前跪着；
而且極悲哀地對他說：
"可愛的孩子！
天眞爛漫的孩子！
人們都是有罪惡的，
我也是有罪惡的人。
我生命上到底劃過齷齪的痕跡，

那裏配接受你的花?

可愛的孩子!

未曾受過罪惡誘惑的孩子!

冰雪般白的茉莉花,那裏比得上你純潔?

海水般藍的紫蘭花,那裏比得上你清白?

斜陽般紅的玫瑰花,那裏比得上你美麗?

惟有你才得毫無愧色的握着牠!

惟有你才得從容不迫的吻着牠!

但是,可愛的孩子,

你豈肯把給人的收回去,

我又豈可不近人情的推辭?

請你把你眼裏露珠般的淚,點滴在花上;

請你把你頰上胭脂般的生命,映在花上;

[91]

更請你把你那純潔，清白，美麗裝飾
在花上，
使我得了花也得了你——
得了天真爛漫的孩子氣，
把你送我的鮮花倒出來，鋪在齷齪
人類的道路上。"

一九二一，八，六。

詠　　月

（一）她底睡眠

喂！街上的路人！走輕些！
在雲的被窩裏，
月亮姊姊正睡着哩。

（二）她底梳粧

上是天——天色蔚藍；
下是水——水平如鏡。
天上的她，映着水中的她，
"唉！月兒！你打扮得這麼齊整！"

（三）她底歌唱

這顯然是她

[93]

在那裏暗地裏唱和着；
否則，爲什麽
籟聲如此淸幽嘹喨呢？

一九二二，九，三。

曙　光

曙光初透的時候，
夜之神已離開大地；
曉風把宛轉的鳥語送將來，
籠裏的雞喔喔地長啼。

世界上的人們有的早已醒了；
有的仍舊繼續他們的好夢；
有的呢，雖說是驚醒了，
但他們一面摩挲着矇矓的雙眼，
又看一看窗外的天空，
一面却懶洋洋地說：

"還早呢！····討厭！"
只轉了一轉身，
又呼呼地睡去了！

但籠裏的雞仍舊不住地長啼，
不因着喊不醒的人們而失望；
晨鳥把他們的音樂鼓蕩着清空，
不因爲歌聲太孤獨而絕了唱；
曉風的力量雖不大，
但他終於盡所能的豁喇喇地吹去；
曙光雖太弱微了些，
但他到底不願把他的光斂去。

看呀！農夫們都高興地荷着鋤到田
裏工作去了，
朝曦正射在他們的臉上；
聽呀！工人們都開始唱着他們和平
的勞動歌了，

晨鳥和他們一塊兒歌唱。
現在死一般的世界又活動起來，
而且充滿了新的生命；
便是那些還在睡夢中的人們，
也不愁他們不醒！

一九二二年五一紀念日。

冲　　喜

一粒星嵌在天際。
　媒人說我的未婚夫病得可憐，
　要把我立刻迎去，算是冲喜。

一粒星嵌在天際。
　昨日，我還是伏在母親的懷裏，
　今宵，我却和一個不相識的人睡在
　一起！

一粒星嵌在天際。
　可憐他已是一病不起，

唉！我又不是醫生，怎能使他回生起
死？

一粒星嵌在天際。
賀客與弔客，夾在一起！
我呢，纔穿上紅衣，又換了縞衣！

一九二三，二，一。

跳舞的快樂

'跳舞的快樂' Terpsicohre是希臘古代掌跳舞與唱歌的女神。她是捲上黑髮，結着黃金紐的美少女。她手裏常常拿着長衣和七絃琴。古希臘人將各種藝術擬人化了，所以每一種藝術都有一個女神掌管着：有司宰悲劇的；有司宰魅力的；有司宰讚歌的；有司宰諸天的；有司宰戀愛之歌的；有司宰喜劇與牧歌的；有司宰雄辯與輓歌的；有司宰敍事詩與歷史的，…………諸如此類，不勝枚擧，跳舞的快樂不過許多女神中的一個罷了。

現在正當新舊衝突的時代，舊的固然應該棄掉，新的制度又還沒有建設；於是受了'生的煩悶'

的侵襲的青年，便一天多似一天，恐怕我也是籠罩在煩悶的濃霧中的一個青年呀！我做這首詩的目的，無非想安慰自己與和我一樣的青年罷了！

一個青年站在岐路上。
周遭有黑壓壓的森林圍住他，
又有一層層的濃霧罩籠着；
密菁荒榛拌住了他的脚，
漫漫的荆棘又要作弄他；
天色慢慢地黑起來，
雨也快下來了。
他的眼迷住了！
他的身站定了！
他旣踟躕着不敢前進。
又尋不出一條歸路！
他只能自己對自己說："我將怎樣呢？"

燕子在樹上呢喃地說道：

"羞恥呀!迷路的人!
我們年年春來秋去,
却從來不曾迷過路。
羞恥呀!迷路的人!"
一羣百靈鳥在那裏互相警戒說;
"我們停止唱歌罷!
樹林中有人竊聽着呢。"
老鴉聽見了,探出頭來叫道:
"迷路的人呀!你從那裏來,
那末你就回到那裏去罷!"

於是迷路的人開始哭了!
開始哭了!
他胸中被悲哀塞住了!
他心裏給痛苦壓着了!
他仰頭問天——天色蒼茫!
他低頭看地——衰草滿地!
他想起母親,

但母親睡在墳墓裏；
他想起愛人，
但又不知愛人在何方？
祇有地上的沙土曉得他的心事，
無聲地把他落下來的淚珠吸收了去
他只能自己問自己道：“我將怎樣呢？”

哦！那兒來的香氣？
哦！那兒來的歌聲？
什麼！停勻的七絃琴的曲調也入耳了。
什麼！綷縩的衣裳的聲音也聽見了。
這不是‘跳舞的快樂’來了？
這不是迷路的人的引導者來了？
這不是‘生的歡喜’的種子的散播者來了？
是呀！她跳舞着來了，

[103]

她唱着歌兒來了，
她提着七絃琴來了，
她穿着鮮豔的長衣來了。

風兒聽見她來了，
連忙對打着盹的衆星說：
“姊妹們呀！快把光明的燈擎起來罷！”
老樹聽見她來了，
連忙對垂着頭的枝葉說：
“兄弟們呀！快把歡迎的旗掛起來了！”
月亮姊姊驚醒了，
從雲的被窩裏攢出來，
而且紅着臉說：
“她比我還美麗呢！”
百靈妹妹驚醒了，
從巢的細縫裏窺出來，

而且羞恥地說：
"她的歌聲比我唱的好聽得多了！"
蝴蝶哥哥驚醒了，
從花的暗香裏飛出來，
而且慚愧地說：
"她跳舞得比我還好看呢！"

她便在迷路的人之前，
不停的跳舞着；
她便在迷路的人之前。
繼續的歌唱着。
蝴蝶也和他一塊兒跳舞，
直到筋疲力盡了爲止！
百靈也和她一塊兒歌唱，
直到聲帶唱破了爲止！
於是迷路的人也快活得微笑了，
因爲她已把他'生的煩悶'的衣服脫
掉了！

〔105〕

於是迷路的人也歡喜得下淚了，
因爲他已把'生的歡喜'的種子散在
他的心裏！
現在他再也不覺得黑暗了，
因爲有光明照耀着他！
現在他再也不至於迷路了，
因爲有微風替他引路！

一九二一，十，一二。

路過上海某公園

公園四周圍着鐵鏈。
園裏，遊客們梭一般的來往；
園外，我踽踽獨行地走着。
花香一股股的送將來，
鳥語隱約地可以聽見。
我的眼被迷住了！
我的心靈給陶醉了！
我終於
急急躍躍地想要進去了！
可是，園丁拒絕了我說：
"不能進去！不能進去！

【107】

惟有中國人和狗不能進去!"
於是我失望了,
胸間似乎窒息般的被壓迫着,
含着淚的眼只是看着地。
今天,我眞是被侮辱了:
而且,也侮辱了全中國人!
今天,我又覺得羞恥了!
而且,也是全中國人的羞恥!
唉!我們的國雖還沒有滅亡,
但我的確
已嘗到了亡國後苦痛的滋味了!

一九二三,二,一·。

附　　　錄

童　　年　　集

十六書懷

年華十六夢中身，壯志何時始得伸？讀書無非消塊壘；學詩只合寫悲辛！如何事業讓屠狗？空有文章驚鬼神！往事回頭如隔世；自揮淚淚一沾巾。

大廈難將一木支，不堪潦倒少年時。人情淡薄眞如紙；世事興亡每似棋。客裏光陰流水逝；愁中心事夜燈知。算來百事都無味，願伴梅花日詠詩。

韶華過眼太怱怱，非復當年竹馬童。性異柔韋堅似石；世無直道曲於弓。繁華富貴原如夢；離合悲歡亦是空。兩字閒愁何日了？舉杯我欲問天公。

北風一夜釀成冬，除却吟詩百事慵。歉歲貧民多菜色，傷時熱淚比茶濃！立身有志思先哲；坐食

[111]

無成愧老農！衆濁獨淸難望用，任言得水是蛟龍。

憶東鄰女

回憶六七年前時，吾家移住甬江口，東鄰有女俞遂雲，自幼容貌即奇醜。遂雲從姊曰遂靑，面如芙蓉腰如柳；年方十二曾讀書，與余嘗作髫齡友。自言：家居貰馹橋，肄業女校四年久；阿母來此應叔召，妾隨阿母訪叔母。乃出課作詔余觀，余視女文驚欲走；讀畢愛猶不忍釋，顧言美人向索取；美人回首似應允，藏之玉櫝恐汚穢。美人謂我頭蓬蓬，替我綰髮且去垢；柔荑枯來溫似玉，我屈美人爲旗婦；［註一］短髮忽落美人頭，未知至今尚在否？遂雲小女不解事，謂彼美人可我耦；美人聞言則大惱，容變桃花如被酒！吾思果如遂雲言，眉綠眼福儘消受。余後侍親歸故鄉，女亦隨母守家畝。

從此平安久未通，忽忽大約四載有。明月未知人意緒，夜來故故窺窗牖。早識此後難相見，何如當年不聚首！我思美人頭欲白，我料美人襁褓當已玉臂負！阿姊言我已成人，好花亦應藏一枝；苟汝敦品勵學行，花絲豈無東風吹？鎮海女兒多姿色，髮如雲委雪凝肌。我聞姊言暗思想，姊言我思却爲誰？

(註一)滿洲人在吾鄉多營理髮生意，故云。

噴水泉

噴水泉！噴水泉！勢直如輪轉；高欲向天穿。動時若競智；靜時若參禪。晨光初出吾來覩，汝已滚滚向無前；月影東升人已倦，汝又竭力儘爭先。衆人勸汝稍休息，汝氣益鼓勢益專，似勸：吾輩須持久，進步宜着祖生鞭；勿謂今日不學有明日，切記光陰無遷延；光陰旣去無回時，分陰豈止值萬錢？

致悔年長學已晚，空教搔首問蒼天！老泉廿七始發憤，至今莫不稱先賢。吾亦豁然如夢醒，點首赔媿舌撟然。筆之於座聊自警，自勸毋負好青年。

有　　贈

巳分情絲久繞身，紅樓我本夢中人！得酬翰墨緣非淺；豈用綢繆愛始眞？桓笛嬴簫音尙在；錦囊石鼎跡成陳。(註一)等閒又是春光老，屈指別來幾浹辰？

江魚朔雁長相憶，轉眼莘荑色又妍。料着深閨無一事，迎春詩句定盈箋。

露白葭蒼有所憶，起居近日却何如？熱腸底事如冰冷，不寄飯生一紙書？

一段風流畫不眞，料應明月是前身。定庵佳句堪相贈：藝是鍼神貌洛神。

寒燈風雨倍相親，待我性情處處眞。青眼相加除却姊，天涯知己更何人？

註一：曩時聚首，相與論詩品茶，樂趣橫生；而余尤喜音樂，得蒙指示處頗多。至今回憶，不禁愴然欲哭，故云。

文溪第二國民學校成立賦詩賀之

興教原是邦家光，何況敬恭在梓桑？努力提倡償我願；熱心啓迪慰人望。菁莪時雨涵濡久；桃李春風噓拂長。學校而今遍林立，英才薈萃化東鄉。

茫茫大陸白雲低，墨雨歐風輸自西。從古地靈人必傑，莘莘學子萃文溪。

興教設學亦吾師，嚴訂課程百世垂。難得羣英一堂聚，絕如馬帳承風時。

獻頌賦詩賓滿堂，自慚俚句語喃喃。魯魚亥豕勿相笑，尺二秀才是舊銜！

[115]

夜宿舟中

惆悵西風賦遠征，無多行李一身輕。家鄉迢遞人千里；烟水蒼茫路幾程？兩岸蛙聲撓鼓吹；半窗蟾影寫秋清。天空遙聽南歸雁，添得羈愁夢未成。

相見復相別，臨岐淚滿巾。江風吹鬢短；山月對人顰。楓葉紅於錦；蘆花白似銀。蓬窗忘坐久，林鳥又鳴晨。

所見

芙蓉鏡裏試新粧，薰透羅衣百合香；解識春愁年十五，背娘偷畫蛾眉長。

夕陽門巷下香車，粒粒珍珠滿綉襦；博得路旁人說道：“端莊流麗在今無。”

聰明偏不解羞慚，願乞天公化作男；撲朔迷離原不辨，就中難諱是嬌憨！

秋日臥病賦詩一章示王君蓉塘

夜來怕見月當頭，不照歡容只照愁！佳節偏從閒裏過；好詩壓向靜中求。軒窗鎮日惟攤飯；枕簟無時不臥游。顧影自憐人似菊，那堪萬里更悲秋？

詠　　月

[117]

夜半無人私語時，舉杯我欲一陳辭：幾人愁怨幾人樂，試問嫦娥知未知？

夜吟微覺素輝寒，月過樓西蠟炬殘；莫向屋樑高處落，思鄉人倚玉欄杆！

感　賦

人言可畏口常閉，俗累無牽身自閒，涉世如何難似此？芒鞋悔插入塵寰！

生來多傲骨，莫怪寡良儔，何物此身似？江邊一白鷗！

七　夕

〔118〕

露冷蟬鳴又報秋，成橋靈鵲渡牽牛，大公特遣如鈎月，鈎起新愁與舊愁！

千里銀河互素波，人間乞巧意云何？天孫織罷璇宮錦，尚欠婚錢十萬多！

贈王君蓉塘

有序

自民國成立以來，凡政界中人，往往留鬚作八字式，似非此不足以驕人者。王君蓉塘亦好爲此。習俗移人，賢者不免，因遺詩戲之。

髯蘇兩字舊名高，不愧鬚眉足自豪，無奈污獒成慣習，何堪頰上更添毫！

再贈王君蓉塘

牛刀小試宦南粵，甘雨隨車德澤長。一自陶潛歸隱後，士民猶憶召公棠。

我生十七識君始；君是詩豪我酒狂。莫道嗣宗眼常白，而今青眼向稽康！

贈某君小影一紙媵之以詩

小影一幀與短詩，贈君聊以慰相思。暫時小別何須恨？見此應如見我時。

上元西廟演劇記事

[120]

萬人翹首老如鯽，急竹繁絃雜奏時。偏是儂心甘寂寞，自攤紈扇寫新詩。

詠　菊

由來傲骨寡良儔，玉潔冰清殿九秋；若把姚黃比苦薏，妖嬈總不敵清幽！

友人某君喜顧花露水因遣詩謔之

小立鏡前梳雲髮，背人偷把噴香薰，薄羅衫子都沾透，錯認當年荀令君。

[121]

自題小影

帶寬自覺腰圍瘦；愁貯眉端久未舒。潘岳而今已頭白，更無佳果擲盈車！

贈三姊

一夜西風正度河；病多偏又惹愁多，慇懃數首實如此：親手調羹沸燕窩。

夜讀

寒夜擁書眼倍醒，一篇讀竟月穿櫺。阿翁不識蟹行字，試向燈前念與聽。

消夏詞

竹陰如幕織雲濃。除却吟詩事事慵。[陸放翁句]荷淨納涼人寂寂，夢甜怕聽寺樓鐘。

無題

夢裏言歡總不眞；醒來嗚咽更無因。他年把臂重相見，無奈蕭郎是路人！

春之化石

甘乃光 著

甘乃光（1897～1956），廣西梧州人。

民智書局一九二四年十月初版。原書三十二開。

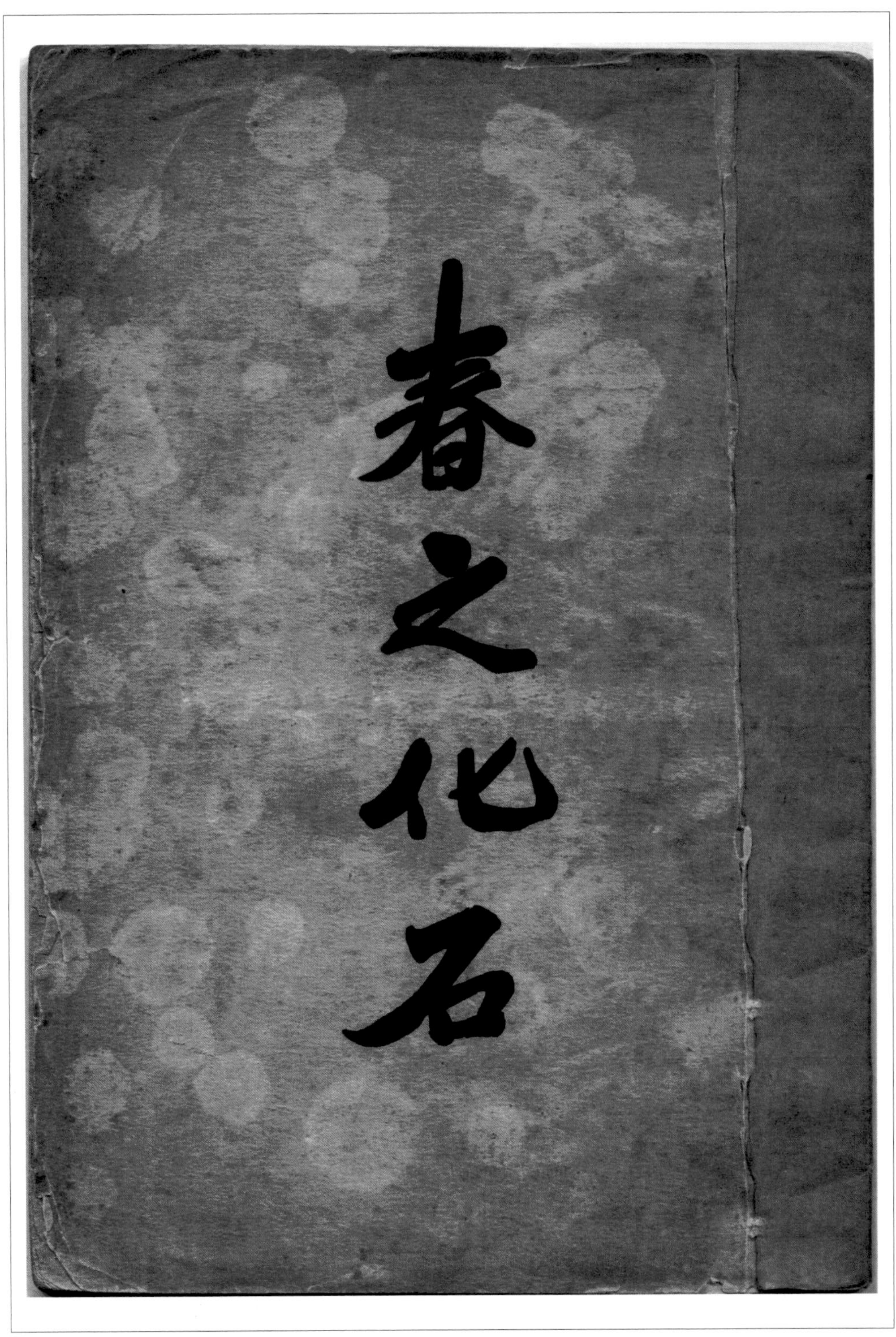
春之化石

戴序

——讀甘乃光君的春之化石——

人生爲何而有這個問題？自古迄今，許多思想家，宗教家說之不已。但是照我着實批評這些思索，都是白化了工夫去，毫沒有價值。

甘君說：「人生有兩大需要，一是情感的慰藉；二是事業的要求。」你們看他，前也不說，後也不說，一無因，二無果，單單說了這人生過程當中的一段，豈不奇怪！

不怪！不怪！對極了！人生是無所爲而來，無所爲而去的。來了，就來了；去了，就去了。那些前因後果，可以不必管他，而且管不了他。

但是，人是生的，而且是要生的，能生與所生，都是人的生存當中的需要。丟了需要，不見人生，只見人死。前年我一時想死，竟自去死，就是走到無慰藉無要求的盡頭所選擇出一條唯一的路。

死不了又活起來了。然後曉得人生本是無所爲而來，無所爲而去。一定要去尋前因後

春之化石　戴序　二

生是一定生的，也一定要生的，果，所以走到了人生盡頭。現在活了，不去尋那些前因後果了，慰藉和要求當然更是不能捨去的。

春之化石，是甘君自己慰藉的作品。我在無聊的時候，翻來看了兩遍，也很能得着些慰藉。很想把這種慰藉，貢献之於多數的人們。所以勸他給民智書局印出來，給人們大家隨喜。

季陶

五月十九日於廣州

自序

我此時覺得人生有兩種大需要：一是情感的慰籍，二是事業的要求。青春事業的要求，比較的不甚眞切，但一走入情感那條路，常常會遇着打不開的固障，於是遂凝成青春的惆悵了。這幾年來我曾走入情感的領域裏去求慰藉，畢竟渺茫虛幻，摸不着處。我自從一九二二年畢業大學後，事業的要求，遂漸覺眞切，回顧我幾年來藉以安慰的文藝作品，不禁啞然。我笑我仍不跳出擺倫曼殊的範圍，我覺的這樣做去，我的文藝前途，未必可抱樂觀。我又不能專習文藝，以求長進。此時我方繼續努力于社會科學的探討，職業時間的催迫，使我再不能從容于文藝的撰著。故把幾年來，散見各處雜誌的文藝作品——簡直是我少年時的心血——搜集起來，署名春之化石，聊以志舊路的歷程。至於前途，實覺茫茫；春之復生，又不知發現于何年了！

——二四五十二于廣州

春之化石目錄

第一輯　莱香詩

春之化石　目錄　二

第二輯　文學文

春之化石

第一輯　菜香詩

一　溪邊

溪邊雖無花可採，
仍依戀着。
依戀着，
候那淸溪流來的瓣瓣落英嗎？
落英若肯來了，
詩人寧願拾一幾片，
回去供養以解岑寂呵！

一二，三，三十九。

二　淚的慰藉

夢寐裏，交換了我們深深的情意，
慰藉便從枕邊滴滴的淚痕誕生，
我生之幸呵！我生之不幸呵！

——二三，四，十．

三　悲喜

孩子笑了，
成長的人們也笑了；
孩子悲來，
却不能挑動成人心孔的悲懷呵！

成長的人們爲甚流不出同情的淚?
沒同情嗎?
爲甚竟和孩子笑了?

—一二三,四,十四,

四 一笑

我和伊途中相遇,
匆匆地別了,
伊去後回頭嫣然向我微笑,
那一笑眞難受難忘呵!
我把我眷戀的懷,
告訴我的好友.

他說：—

『花枝有主，何妨臨風搖曳呢？』

——二三，四，十七，晨.

五　贈然子

我是生命途中一個孤苦的旅客，
遇不着同情的人們，
懷了許多不揣告人的隱痛。

隱痛是難耐的，
人們又何苦表同情以自尋煩惱呢？
然子，你是一個沒智慧的人，

偏偏來和我同感—
分賞那悲怨裏的快樂。

記得那晚：談到月中天，
你訴你的衷曲，我說我的憂傷。
訴說完了，心淸一片，
我很悲苦而又愉快呵！

人們的智慧是什麼？
孤苦的旅客用不着你了！
同情的大海在那里？
我情願投入你的懷中呵！

—一三，四，十六.

六　長途十五首

既然許了樹上的花—開了，
又何來暴風的摧殘呢？

落紅滿地，
花心碎了。
遣你的夢魂兒，
營繞扶持伊罷！

你是流不盡的苦海，
渾不濁的清泉，
何必與朝露較其深淺明晦呢？

蠶兒何曾說:
「我們要努力創作?」
只牽着抽着,
抽着牽着,
盡情吐露,
結果便是珍貴的錦繡了!

何必留戀!
留戀多一刻,
離時多一滴淚呵!

燦爛的花,
纍纍的果,

開着結着。
縱有暴風的摧殘，
人們的殘踏，
樹的責任已算完了。

不入磁瓶不上襟頭，
覺抱香老去，
枝上是歸宿之所嗎？

堤已缺了，
汪汪的海洋，
可游泳自如了。

但是——

遼遠的彼岸，
終竟圍限着呵！

後艇推前艇，
前浪擁後浪，
冷酷的岸上人，
這是你們心中的娛樂嗎？
枝上飢腸轆轆的百靈，
唾涎着籠中的菓餌
留戀徘徊，
忽覺飛去了。
輕輕移開葉兒，

第一輯　長途十五首

一

免伊的影兒受壓，
恐伊感受不起呵！

炎火鑠金，
酷熱極了，
稍容忍能！
透人心髓的凉風，
將由炎赭裏誕生呵！

我眼裏的微潮，
和伊的秋波相觸，
這情意的交流，
流到何時何處？

顯着黃金色頻頻回顧的太陽，
匆匆地帶着晚霞去了！
狂風後，
尋不着花底語，
祇剩雨底聲，
這是僅有的伴侶，
細聆着罷。

—二三，三月—六日。

七　南海招魂

渺渺冥冥裏，我茫茫地歸了故鄉，
十載無蹤的爸爸也蹣蹣地回到家園了。

第一輯　南海招魂

爸爸爲甚你這般栗六，這般憔悴？
是你旅況的窮愁呵，
抑是你暮景的凄凉呢？
二十年濶別的媽媽也不再囘來了！
這是你的悲苦嗎？
你臉上活躍躍的血輪已捨了你而已，
去戀那逝水的華年——華年終竟是逝水呵！

唉，我知你爲甚囘來了！
媽媽的墓木已拱了，墓草已蔓了，
送葬時簇簇的香花，不知化作何處的春泥了。
更有！

這條的旅況，漫漫的長夜，
比不上故園的風味呵！
況且你的父我的祖今年已八十有一了
縱不管什麼「稱觴上壽」，
爲着人生，也不得不兼程歸去，

你見完了你的爸爸，仍依依地不捨・
我也依依地繞着你。
繞着你，脫不了幼年的稚氣。
我想若媽媽還在，必定低着聲輕輕地問你：
「究竟那里十年作客，
爲何遲暮歸來？」

十四

第一輯　南海招魂

但伊感着你伶俜的殘年，
又必也幾回啓口幾回低頭。
如今祇剩了孑然的我，
依戀着、伴着你暮景的蒼涼。

你的媽媽去了那里？
我的媽媽歸了何處？
悶也無人倚了，愁也無人慰了！
但你這般憔悴的歸來，
對得起你那蕭蕭白髮的爸爸嗎？
歸來了，如今歸來了，倘幸你歸來了。
『爸爸，你歸來了，還去作羈人嗎？』

我又不敢說他老，說他愁，勸他不必再嘗征人的苦況，
恐他又不絕的自悲自悼。
『我不去了，我的壯志已消沉了，我的殘軀已羸弱了——
但我仍不能不去，可奈何呵？』
他撫着我的手，我扶着他的腰。
老了，頹唐的老去了——
老了，還去作征人嗎？
『別去罷，別去罷，
　我的爸爸，
　我的爸爸我的所愛的爸爸！
你去了，我也孤單了，你也漂零了。
　同是孤單，同是漂零，
　孤單在一起罷，漂零在一起罷！』

第一輯　南海招魂

他忍不住的淚珠，也汩汩地流起來了！

『你要去嗎？你當眞要去嗎？』

你去，究竟去何處？

再也十年無蹤地遠去嗎？

你不能不別你垂暮的爸爸，

我安忍再離我十年不見的老父！

你去，我也一起去罷。

漂呵！漂呵！同漂零呵！

也不孤單了也不孤單了！

我情願同你孤單地漂零去呵！』

熱烈的淚珠兒，

從無崖際的珠海裏無盡藏地洶湧的流來，
　流得淚痕滿面，
衫襟也點點滴滴地濕透了。
孤枕冷中喚醒了無聊的我。
無邊的黑夜，依然罩着人間。
何必醒，醒來把我和我的爸爸分離了，
不能一同漂泊了！
更何必想，想什麼？
舊恨又重重地囘來了！

北門飲彈，如今尚帶淚痕，（註）
南海招魂，徬徨風雨，

你的魂呵！我的魂呵！那里去了！

——二三，七，廿四.

（註）北門地在廣州城北較場，乃先父于癸丑二次革命之役殉難之所，及今回思，已十載矣。

八　微颸三首

伊匆匆地密步走過我的身邊，
盪起了我心波的微漾
夜裏夢中的靜寂，
也帶着人世間的遺痕。
夢魂兒，讓我安眠罷！

微飈，輕輕地喚醒了我，
把我們分離了。
再從夢裏邂逅嗎？
夢也不知去處。
望呵！
更望不到伊家了！

夏之夜——
疏星閃耀，
碧空沈沈，
微飈颼飀，
人寰的塵跡，

觸着自然的漂渺，
也默默地靈化了。

一二三，七，廿八.

九　溪水

溪水，潺潺地去了。
灣也不打，漩也不轉，
沒回頭的去了。

去罷，恬靖地去罷，
除非太陽眷顧，
你也無蹤地逝了。

看，狂風括了，
那里有太陽光！
那里能靖寂？

潺潺的，
伴着落英，
珍重你的前途呵！

一二三，八，十．

十　覆壓着的我（散文詩）

我胸臆裏狠像被重石覆壓着；我仍猶着力依樣的繼續着。　但是靜默的迴憶裏，究竟發生什麼意義呢？　在恍惚的宮殿裏五光呀！十色呀！不過渺渺朦朦罷！　歸來呵！歸來呵！

我何曾依依地，我清醒時何曾留絲毫依戀的跡象？　歸來嗎？那里是歸途呢？　瞻顧着莽莽的遼潤的大道，恐又是一個迷途之鳥呢？　我何曾依戀？　我更不敢說歸來了！

我是一個弱者嗎？　覆壓着我那沈重的石－我想，若受我胸中的火燃燒了，必定……但他一滴一滴地流入我的心中，倘我心火忽滅，凝成固體的石英，更令我難于忍受呢！

容忍着罷，這是代價呵！　朋友，這是代價嗎？我究不知我有何求呢！　我且容忍着罷。　我也曾勉强向着人們笑了一笑，但是那一笑吐出無限辛酸的汁液流入我紅的白的血輪裏，我的臉也遂染着銀灰的色彩了。

何必悲喜；何必無端悲喜？　鮮華衣被的百合，憔悴投爐的野卉，命運罷了。　我果是命運的產兒嗎？我又不敢過于自信。　强抑着蹤開我的倦眼，瞻望着人生之流，這人生之流，令我不能不去呢！　踐歷着的微軀，也不能不感着它的激蕩。　行其素罷！　何必悲喜，何必無端悲喜！

踐歷着的，不意我的心火竟把它燃了。　燃了，讓它注入人生之流罷。　乘桴的人說：無所依戀，不必歸來。　辛酸的汁液，和紅的白的血輪也一同來罷，同流入這汪汪滔滔的巨洋呵！

—二三，十一，十五。

十一　夜裏的行程

—献P.S.兄—

第一輯　夜裏的行程

太陽已伴着晚霞西去，
月兒仍睡在宇宙的懷抱裏。
數點疏星、間着燈花幾朵。
朦朧中顯出一個蓬首的少年，
彷徨着歧路之上，
彳亍地去尋那最初的樂園，
想嘗嘗智果的滋味。

寂聊無聲的四郊，
倍覺着黑魆魆裏的森嚴，
這少年仍提着燈兒—熒熒的燈兒，
向那無涯之境。

二四

他已歷了難量的途程，
耗了定限的燃料，
忍着軀體的空乏—
心志雖鐵石地牢固，
但已敵不住那雙腿的倦意了。

黑夜依然罩着，
數點疏星，燈花幾架，
仍照不到少年的徑路。
縱靜候月兒東升，
照出坦途蕩蕩；

但在歧路徘徊的行客，
想必煞費躊躇呢?
蓬首的少年拋棄一切:
看不見玫瑰的鮮華，
嗅不着夜合的芬芳，
忘了無涯的途程——
黑夜裏躑躅地蹣跚的繼續着，
想到最初的樂園，
去嘗嘗那智果的滋味。

——二三，十二，廿七。

十二　遊龍江南 (絕詩六首)

遊罷江南歸嶺表，
天涯淪落恨年年。
相逢半世誰知己？
聊付詩魂與舊箋。

不上層樓知病苦，
禪心未老淚沾襟。
東風無力情難已，
珠海長流欲斷吟。

第一輯　遊罷江南

異域歌聲最引愁，
未終一曲意先休。
松風悲動鳴天籟，
我亦傷春望綠疇。

珠江夜渡歸何許？
天際冥冥不是家。
兩岸漁舟停唱晚，
海陬殘月泣啼鴉。

二八

十載同硏債未償，
親攜笄篋渡重洋。
來秋待我蝦辰畔，
細點殘英笑夕陽。

小刼人天祇自憐，
溪邊遊倦理殘箋。
流鶯啼遍花枝苦，
收拾餘生悟宿禪。

甲子暮春下浣。

第一輯

三十

春之化石

第二輯 文學文

一 李清照的欣賞

爲藝術的藝術，和爲人生的藝術，孰爲上乘，這裡不欲多辯了。 我總覺得甚麼藝術，要是眞情之流，才有是處。 無端泯起的漣漪，總沒潛蟄海底的波濤所起的澎湃那種光芒，那樣洶湧。宇宙的大觀，實在不出「行于不得不行」那條平平庸庸的原則。 我欣賞李清照的詞，就是感着伊的作品是眞情之流自然的表示。 伊的生平，眞摯的生活太充滿了，充滿到要洋溢地洶湧的流出。 以那種眞情一片的人生所表現的作品，那有不富于興感性的道理？ 老實說，伊的生平便是一首長詞，就是伊眞情之流所不能不表出的絕妙長詞。 以生命爲藝術，以藝術爲生命的，眞令人撫着伊的作品時，心弦裏不得不同時顫瑠。 我分不清楚是我讀伊的作品，抑是欣賞伊

眞摯的生命

我于三年前草詩人白浪寧時，同時也討研白浪寧和以利沙伯白浪寧同居的生活。他倆雖有年歲的區別，羸健的不同，但終不能阻止他倆感着享着生命的美滿。他倆的著述，實他倆和諧節奏的產兒。在我們輕視女性的東方，不料竟找到一個相同而略相反的例証。篤于伉儷的伴侶裏佔重要的地位的是一個女作家，伊就是我所想說的宋朝的李清照。伊十八歲適大學生趙明誠，同居三十餘年，貧賤富貴，平常處之。後人雖有改嫁的揑語，但依臨桂況周儀用年月的旁証，舊說寃謬，不辯自息。就退一步，改嫁亦何嘗有多大罪惡呢？明誠總不是一個卓越之士，他倆仍相依爲命地眷戀着，可見富于眞情的人們，其結合的融洽點常超于常人所預想。

這些東西詩人，正以此獲愉快生活的秘鑰。我欣賞他們的作品，我讚頌他倆得人生的眞義，明誠的創作天才如何，瑯環記所載雖無絕對史料的價値，或可作一個微小的旁証。這事就是伊以重陽醉花陰詞寄伊的良人，他用了三日之力，作了五十闋，想勝過伊的作品。後來雜伊的詞給他的友人陸德夫評，賞德夫對他說，祇有三句是很好的，就是：『莫道不消魂，簾捲西風，人比黃花瘦』 不知那三句就是清照的心血。 這事未必眞，但明誠的詞，傳的很少，這小事可以表出伊文學的天才實勝過明誠萬萬了。 庸常的人，很易發出「彩鳳隨鴉」之感，但伊毫不介意，看看他倆結婚後，當明誠出遊，伊送給他錦帕上纏綿的情緒：

『……花自飄零水自流，一種相思，兩處閒愁，此情無計可消除，才下眉頭，卻上心頭』。

離時情感易于發激，階前的相思淚可以滴向秋階發海棠。 他倆平日如何呢？據俞正燮易安居士事輯，則他倆平居，別饒逸興。 飲後烹茶，嘗指堆積書史，說某事出于何書何卷何頁何行，以中否決勝負，爲飲茶先後， 常常大笑，致茶覆胸懷，以這事爲樂，則可知他倆戀愛熱情，已入了忘形之境了。

他倆雖是世家官族，但平素貧儉。 他倆嗜古，所以他眞能常典當衣物以買碑文果實歸來，夫妻展玩咀嚼， 赤裸裏的人生，這是何等情況，這是何等胸懷！安貧守道，曠達樂生。 我欣賞伊的作品，我讚頌他倆獲人生之眞。

他罷官後，曾在鄉居了十多年。 南渡後，高宗三年曾詔明誠去湖州做知府，不幸他竟于中途死去。伊那時已四十八歲，愛情仍依舊一樣濃摯，看看伊悼亡的傷心語：

『簾外五更風，吹夢無踪，畫樓重上與誰同？記得玉釵斜撥火，寶篆成空。』

『吹簫人去玉樓空，腸斷與誰同倚。一枝折得，人間天上，沒個人堪寄。』

讀了這幾句詞的人，知到了同居三十年的老夫婦，並且受着東方吃人的禮教所包圍的弱者，那自與西方女作家 George Eliot，再嫁又嫁的不同。用禮教來解釋伊改嫁之評，實不如用伊自己的話。那時眞是『人間天上沒個人堪寄』呢！

上面略略述過他倆同居眞摯生活了，談談伊作品的本身吧。我常常以爲情感要自己覺到，要自己主觀的經驗過，才寫得眞，才寫得動人。嬌癡是女性獨有的寶貝，幾許男作家用盡心力，仍不能寫得十分鞭辟入裏，因爲這是客觀的情感。我們看看這位女作家寫嬌癡的兒女態？

『見有人來，襪剗金釵溜・和羞走，倚門回首，卻把靑梅嗅』

這幾句中『和羞走，倚門回首，』癡態如活畫一般，這才是寫人生的文學呢！

又看：

『怕郎猜道奴面不如花面好，雲鬢斜簪，徒要教郎比並看。』

我引以上兩段，怕人話我太玩視女性了。不知『玩視』兩個字已先有重男輕女的意思在內；不然，若本平等互相欣賞，玩視什麼呢？況且兩性互有貢獻，未必同吸淡芭菰，吹雪茄，然後算男女平等！

清照描寫的天才真令我低徊不已。我狠愛伊以下那一首浣溪紗詞，

『繡幕芙蓉一笑開，斜偎寶鴨襯香腮，眼波才動被人猜。一面風情深有韻，半牋嬌恨寄幽懷；月移花影約重來。』

蓮子居詞話說伊『眼波才動被人猜，矜持得妙；朱淑真嬌癡不怕人猜，放誕得妙，故善於言情。』

伊真像是有天生成一種寫美的特長，更看看伊下一首浪淘沙：

『素的小腰身，不耐傷春，疏梅影下晚妝新，裊裊婷婷何樣似，一縷輕雲。歌巧動朱唇，字字嬌嗔，桃花深徑一通津，悵望瑤臺清夜月，還照歸輪。』

這一首詞不知是不是伊倩影的寫真？但這幅活美人圖雖已久蒙時間的塵，還不減當年動魄

戀魂之力。

伊詞裏寫離情別緒的，寫到十分纏綿淒怨，『唯有樓前流水，應念我終日凝眸，凝眸處，從今又添一段新愁。』我有幾位朋友說惜別懷人是漱玉集的精彩。伊在聲聲慢裏連用四個疊字。伊用疊字，每疊必佳。伊酷愛歐陽修『庭院深深深幾許』那一句，所以伊特在伊的臨江仙詞裡用爲首句。玉梅詞隱道『歐陽文忠蝶戀花庭院深深一闋柔情迴腸，奇艷醉魄，非文忠不能作，非潘安不能愛，』可謂知言了。

清照的詞，不特淒艷可以動人，失意的人們並可得到許多慰藉。文學本是情感的產兒，悲感猶易得人的同情，如『物是人非事事休，欲語淚先流，』很易令人沈醉於悲懷裏。但人們同時也應有正當的慰藉，『楚囚對泣，』人發幾何呢？我愛清照淒美的文詞，我更愛伊慰藉的妥帖語：『更誰家橫笛，吹動濃愁？莫恨香消玉減，須信道，跡掃情留。難言處良宵淡月疏影尙風流，』知到『跡掃情留』則世間一切緣魔，一切幻影，都可作如是觀了。

本來女作家在東西洋文學的淵藪裏，都找不出幾個，這不是我壓抑女性的話。看看西洋文學裏，堪當第一流作家的，祇有 Miss Austen, The Brontes, George Eliot 寥寥幾個，而伊們又不過擅長於散文之撰著。 而最收著名的女詩家，除 Sappho, Mrs. Browning, Jean Ingelow Miss Rossetti, Mrs. Hermans 罷外，其餘能永住文藝之宮與否，尚屬疑問。 這裏的淵奧，非本文所能詳釋。 但若眞有一個女作家而伊的詩（廣義的詩則詞也包涵在內），能在男性超越的文壇上佔一席地，則伊之感想如何！ 淸照的詞，我以爲可以放在第一流的作家裏而無愧色。雖祇是惜別懷人的作品，在兩個境地裏用盡伊淳摯的心情，要算伊是登峯造極了。

從來天才，頗多自負，淸照也是如此。 在伊的詞論裏，對于前輩，頗多譏彈的說話。 像伊說：『秦少遊專主情致，而少故實。 譬如女家雖極研麗豐逸，而終乏富態。 黃（庭堅）即尚故實而多疵病，譬如良玉有瑕，價自減半矣。』 鄭振鐸也說：『其實他的詞，確較秦黃爲高，秦黃等以詞工爲主，而他的詞，則都從心底流出的，』這正是我想說的話了，

眞是要有從心坎流出的作品才能動人。 讀淸照的詞，要當作伊心血的結晶，要當作伊眞情之流的表現。

—二三，十一，四．—

二　白樂天與自然詩

—點點的榮花之十三—

『綠陰斜景轉，
芳氣微風渡；
新葉飛下來，
萎花蝶飛去！』

這是白樂天（即白居易）的東坡詩中的幾句。　我國的詩人，講自然的少，而以講自然的家者近少。　我國詩人凡講及自然，都含有幾句要藉自然來表現他自己所謂『詩教』（與情緒感想不同）的意思。　不知這不是講自然詩的正宗，因為詩教為主，而自然為陪客了。

純然自然派的詩人，講花鳥應描寫花鳥，講山水應描寫山水；即是由山水花鳥自然流露出自然的情緒；不是畫蛇添足，更不該拿花鳥山水來作「陪客」。然中國何以少純然自然派的詩人？何以他們作自然詩要納入詩教在內？我們若細心考究，便知到許多中國詩人描寫方法的破產。原來他們作詩，都以抄襲典故陳辭爲高；未經人道過的，不敢自我作古。陳詞典故有限，故寫自然而不納入「詩教」情便千篇一律了。他們沒觀察的訓練，所以所寫的不是他們所見的山水花鳥，乃是以前詩人所見過的山水花鳥，乃是以前詩人所講過的普通山水花鳥。故他們的作品少了創作性。況且用了陳詞典故，縱有創作性，也被重重的壓迫而湮沒了。文學沒有創作性是難好的，所以他們便加了些詩教入自然詩的材料裏作個性，所以有寫景而不以情配；寫物而不以意配便不好的修辭律令。可惜他們更誤解了情意，强把詩教來替代。

以上是講自然詩要描寫自然方爲正宗，而納入詩教的乃是「野狐彈」。

白居易另有東坡種花二首，現在鈔在下面：

「持錢負花樹，　城東坡上栽。　但購有花者，　不限桃杏梅。　百果無雅種，

第二輯　白樂天與自然詩　　四十

千枝次第開！　天時有早晚，　地力無高低。　紅者霞豔豔，　白者雪皚皚。
遊蜂逐不去，　好鳥亦來棲。　前有長流水，　下有小平臺。　時拂臺上石，
一舉風前杯；　花枝蔭我頭，　花蕊落我懷；　獨酌復獨詠，　不覺月平西。
巴俗不愛花，　竟春無人來；　唯此醉太守，　盡日不能回。』

這首可算自然詩的純正派，因爲他不納敎訓在內。請再看下首：

『東坡春向暮，　樹木今何如？　漠漠花落盡，　翳翳葉初生。　每日領童僕，
荷鋤仍决渠，　剗土壅其本，　引泉溉其枯。　小樹低數尺，　大樹長丈餘，
封植來幾時，　高下齊扶疎。　養花既如此，　養民亦何殊？　將欲茂枝葉，
必先救根株，　云何救根株？　勸農均賦租。　云何茂枝葉？　省事寬刑書。
移此爲邦政，　庶幾氓俗蘇。』

我們看完這首詩，便知他不是純然描寫自然的。像這種蠢笨的寫出詩敎，寫出他的社會問題，未免有些斧鑿痕。老實說句，若果要發議論，大可作一篇論文或一則隨感錄，何必作詩呢？

白居易本是我國文學界裏一個有名的社會詩人，他所以佔一個位置，我以爲實是他在傳統的詩歌中能利用一點觀察能力，找出新的材料來自已取用。再引一首表出他的眞正本領，這首是名觀刈麥的

『田家少閒月，　五月人倍忙。　夜來南風起，　小麥覆隴黃。　婦姑荷簞食，
童稚攜壺漿。　相隨向田去，　丁壯在南崗。　足蒸暑土熱，　但惜夏日長。
後有貧婦人，　抱子在其傍，　右手秉遺穗，　左臂懸其筐。　聽者相顧言，
聞者爲悲傷。　家田輸稅盡，　拾此充飢腸。　今我何功德，　更不事農桑。
吏祿三百石，　歲宴有餘糧！　念此私自愧，　盡日不能忘。』

若不能不作社會問題的詩，至少要有白居易那種『足蒸暑土熱』那種觀察力，與『花枝蔭我頭，花蕊落我懷』那種寫實的方法，方能寫出令人覺着作者的眞摯的情緒。那種根據于寫實的社會問題詩，方才可以發生効力。不知專門研究詩學的人以爲何如？

三　宋詩述評

（一）宋詩淵源—（二）西崑體（宋詩啓蒙）—（三）詩學拓新（西崑反响）—（四）二蘇（江西淵源）—（五）江西詩派（宋詩全盛）—（六）南宋四大家—（江西詩派之後緒）—（七）四靈（江西反動及結局）

一、

有宋三百年間，在中國文學史上，以詞著而不以詩顯。宋去唐未遠，承五季喪亂，故詩多倣自唐人，能創新格者少。初宋西崑諸家，詩宗義山（李商隱）而義山乃晚唐巨子。及西崑末流浮艶，有蘇（舜欽）梅（堯臣）之古淡，上迎晉宋；然至歐陽修而西崑之弊始能廓清，而歐公實師中唐韓愈。王安石古近皆工，亦學杜所致。蘇軾雖能卓然成家，然亦效法劉（禹錫）李（白）。及至黃庭堅創江西詩派，庭堅雖出蘇門，而實得力於杜。其弟子陳師道亦以杜甫爲宗。及至南宋陸(游)范(成大)楊(誠齋)尤(袤)四大家演江西之餘緒，實爲唐詩之變。姜夔詞人而兼詩家，亦出入杜甫。江西流於粗澀，徐照，徐璣，翁卷，趙師秀四子，號爲四靈，主淸虛便利，然實法晚唐姚武功派。總而觀之，可知宋詩實法自唐人，而以杜甫爲影響心之中心也。

吾旣述宋詩之淵源，謂其本於唐代，然宋無大家耶？唐宋詩醇以蘇軾陸游附杜甫李白，白居易韓愈之後。平心論之，蘇陸方之有唐四大家，實無愧色。然近世蘇詩雖盛行一時，學陸者少；晚淸作者，多宗庭堅，以「宋詩」號召海內，亦研究宋詩者所當知。茲爲分述全代變遷如下：

二.

五季五十年間，實爲中國文學史之黑暗時代，宋承喪亂，頗難自振。幸去唐未遠，宋太宗時，楊億，劉筠，錢惟演諸子，倡西崑體，刻西崑酬唱集。詩皆近體，尙格詞，練才藻，宗李商隱以救五季之浮野。集分二卷，詩得二百四十七首。楊劉錢外，有李宗諤，陳越，李維，劉騭，丁謂，刁衎，任隨，張詠，錢惟濟，舒雅，晁迥，崔遵度，薛映，劉秉等共十七人。西崑體在當時影響頗鉅，歐陽修謂「楊大年(億)與錢劉諸公唱和，自西崑集出，時人爭效之，詩體一變。而先生老輩，患其多用故事，至於語僻難曉，殊不知自是學者之敝。』　平心而論，西崑之精工者，自有獨到處語其弊，則優伶撏撦之譏，亦何能免？　近人黃節謂『楊劉諸人，時際升平，故其為詩雍容典瞻，無唐末五季衰颯之氣，此其勝也。　然而專工對偶，疏於氣格，詞華雖麗，六義則缺，此其短也。　清初吳之振作宋詩鈔，遂屏棄不錄，良有所見，』可謂知言。

三、

西崑末流，或為浮艷，或為僻澀，然已縱橫四十餘年。　及蘇舜欽，梅堯臣出，力矯浮艷，以古淡為宗，作西崑體之反響。　歐陽修亦之曰：『聖俞（梅）子美（蘇）齊名一時，而二家之詩體特異。子美筆力豪雋，以超邁橫絕為奇；聖俞覃思精微，以深遠閑淡為意，各極其長，雖善論者不能優劣也。』　然其詩古淡深遠，內槁外腴，自成一家特色。　不善學者效之，必枯淡無味，故傳之者稀。

西崑積習，蘇梅雖變，未竟全功；歐陽修出，和之者衆，宋詩又生一大變遷矣。　歐公在宋以韓愈自況，故詩文皆宗韓，以氣格為主。　有句云『脫遺前言笑塵雜，搜索高寒窺冥漠，』則其對於倚靡之反抗可知。　歐公詩平易疏暢，東坡謂其詩賦似李白。　然歐公以文家而兼詩家，壯年研詩，中後治文，視詩爲餘事而已。然歐公甚自負，得意之作，有廬山高，明妃曲二首。嘗自謂：『廬山高今人莫能爲，唯李太白能之。明妃曲後篇，太白不能爲，唯杜子美能之。明妃曲前篇，子美亦不能爲，唯吾能之也。』茲錄其明妃曲於下

『漢宮有佳人，天子初未識。一朝隨漢使，遠嫁單于國。絕色天下無，一失難再得。雖能殺畫工，於事竟何益。耳目所及當如此，萬里安能制夷狄。漢計已成拙，女色難自誇。明妃去時淚，灑向枝上花。狂風日暮起，飄泊落誰家。紅顏勝人多薄命，莫怨春風當自嗟。』

歐公之後，蘇黃之前，獨推王安石。安石詩宗杜甫，嘗謂：『世之學者，至于甫而後爲詩不能至，要之不知詩云爾。』荊公爲文精悍，于詩諸體皆工，晚年律尤精嚴，然頗以險絕爲功。王漁洋且謂：『荊公狠戾之性，見于其詩文，可望而知，如明妃曲等不一其作。』然漁洋詩本脆弱，於荊公或存門戶之見；吾以爲宋蔡絛謂『荊公詩之風骨，一味清新』，較爲精當。

四.

宋詩銳變，初由西崑以破五季蕪鄙，西崑末流，又有蘇梅歐陽王之反響，去其侈麗。蘇氏兄

弟遂得從容卓然成家，不必費力，以啓山林，江西詩派，亦于是導源焉。三蘇中，洵詩較少。『東坡始學劉禹錫，晚學太白，至其得意則似之矣；然失於粗，以其得之易也』（陳後山語。）詩醇謂後山一知半解，然陳蘇同時，言似有本。然觀東坡詩，當觀其大，自見其豪放本色。東坡諸體皆妙，七古爲最，唐宋詩醇選爲宋二大詩家之一，可謂有識。軾弟轍才氣不及乃兄，然以蒼莽勝。

五.

宋詩中，影響至大者當首推江西詩派。江西詩派之名本呂居仁作江西詩派圖，自黃庭堅下，列陳師道、潘大臨、謝無逸等廿五人。諸人中惟陳師道（後山）可祧庭堅，故此圖頗滋物議。庭堅爲此派之祖，而庭堅本屬蘇氏（軾）之門，陳師道從遊庭堅，二人實爲此派之二大鉅子。庭堅又脫胎老杜，然其天姿高，筆力雄，故諸體皆佳，惜七絕千篇一律，稍乏風韻耳。山谷之詩，非徒自詩中求之，觀其集中與方蒙書云：『山谷嘗謂學者多不肯治經術，及精讀史書，乃縱酒以防詩，故詩人致遠則泥，必皆離此諸病，謾及之可也』是山谷不獨爲詩人，實學人而兼詩人矣，故能由杜變成一家，立江西派之祀。後山詩（陳師道，）出自山谷，又兼學杜。其論詩云：『學詩當以子美爲師，有規矩故可學；學之不成，不失爲工。無韓之才與陶之妙，而學其詩，終爲白樂天爾』文學上個性多者本不能學，故韓陶非易致；而杜甫則詩中常例多，人人當曉，後山論學詩，可謂知言。黃節謂後山詩多怨『喜其受怨而不失身耳』。後山外又有二晁，(冲之補之，)以七言古體爲佳。

六

南渡後，尤袤，范成大，楊誠齋，陸游四大家，皆通江西氣脈。尤袤淡雋，獨工於律。范成大早溯晚唐，後規蘇黃；楊誠齋謂其詩『縟而不釀，縮而不僒』然四家中，以楊陸二子爲最。周必大嘗跋誠齋詩曰『誠齋大篇文章，七步而成，一字不改，皆掃千軍，倒三峽，穿天心，出月脅之語。至其狀物姿態，寫人情意，則舖敘纖悉，曲盡其妙。』如此論之，誠齋不愧爲一大家。陸詩淵源，詩人玉屑謂：『放翁學詩于曾幾，曾幾之學出韓駒，列名于江西詩派』可知陸詩源出江西。然放翁詩何能全爲江西所限，唐宋詩醇論之曰：『觀游之生平，有與杜甫類者……詩至萬首，瑕瑜互見。……若捐摭類存英華，髤纖巧可喜之詞，而發其宏深微妙之旨，何嘗不與李杜韓白諸家，異曲同工，可以配東坡而無愧者哉。』故詩醇附游於唐宋五大家之後，以其能獨闢一家也。　陸詩之多，似英詩翁華士活茨（Wordsworth）亦當選讀。

誠齋有弟子蕭千巖與四大家齊名。　其弟子有姜夔，詞人而兼詩人者也。　夔自號白石道人，詩琢句精工。　全謝山謂『深情孤詣，拔出于風塵之表，而不失魏晉以來神韻，淡而彌永，清而能腴，風人之旨也。』　楊誠齋詩愈傳愈上，爲文學界開一新例。

七、

南渡中葉，江西末流，氣粗意澀，乃有四靈以清虛便利之調，矯粗獷之失。四靈者即徐照，徐璣，翁卷，趙師秀四人，詩家晚唐，婉合以鍛鍊爲工，長于近體五言，讀之頗覺口爽。

四靈之詩，江湖派多效之，有江湖小集之刻，然其弊在雕鏤細碎，於是有劉克莊（後村）之反响，然晚宋聲微不振，已屆末運，遺民諸子，又文天祥，謝枋德之流，又不徒以詩文顯矣

—一二五五—

四　詩裏的象徵主義

我們對于軀體外的感覺忌其渺茫虛幻；但死呆呆的真實，也不能誕生人們的快感。 攝影之所以時遜于高手的畫工，實緣其對像的情調常不可依靠；情調稍減，對像便成呆笨。 我現所提起文藝裏的詩，——偏于情感的詩，更要十二分注意。 那些『捧子夠一根一根的往嘴裏送』，和那『昨日蠶一眠，今日蠶一眠，明日蠶一眠，蠶眠人不眠』連吃麵養蠶都不曉的人，偏去作吃麵養蠶的詩的大詩家，固然不值我們一盼，但若祇能真真實實平平庸庸地去寫，也未必值得我們欣賞呢！ 況且許多事體不像吃麵養蠶那樣單簡，那樣易于描寫。 涉入思想情感的領域裏的物體，要放得入我們感覺界裏才覺得真實。 我們並不是討究哲學裏心物離開是否還可以存在的問題，不過覺文藝上客觀雖要正確，但徒有客觀的存在，仍需要有主觀的認可，方才覺得真實。

主觀的認可，是對可客觀的事物而言！但如何而後可以得到主觀的認可呢？ 命令勸戒訓諭，都可勉强些得到人們的認可，但施之於咨嗟咏歎含自然節族的文體，似有許多軒輊。大抵人們的品質，喜暗示而惡直言，故感人深遠的作品，不是直白的訓諭，乃是咏嘆的詩詞。幾千年前的作家便明白這個道理。屈子的離騷藏蘊着滿腔的愛國熱血，輕輕便便的借美人香草寫了出來。我們讀到：

『日月忽其不淹兮，春與秋其代序；
惟草木之零落兮，恐美人之遲暮！』

那幾句說話，便另有一番感觸。詩經裏除了『賦』『興』之外還加上『比』一體，到底做什麼？『比』是比喻那一件東西的意思。詩人之所以用『比』，實覺到這是一件感人最深的工具呵！

象徵主義就是用表記來代表一種思想或意境的意思。在偏于情感的文學——尤其是詩，最忌坦坦蕩蕩平鋪直叙；因爲情感本身便是宇宙裏一個大神秘；探究宜于主觀的直覺，不宜于客觀的理智。主觀直覺的表現最宜于用間接暗示的方法。象徵主義的暗喻（Metaphor）譬喻（Allrgory）寓言（Fable）都是間接暗示的方法，與人以聯想的作用。但在象徵主義裏，天路歷程，伊索寓言，斷比不上但丁的神曲，哥德的浮士德，因爲暗喻譬喻與寓言根本上是不及高級的象徵的！

講到詩本身，則我另有一種奇怪的概念，以爲詩要本着空間時間的眞實，同時更要超越空間和時間的束縛以表出宇宙永遠延綿的直理。有人說我國近年的大喪亂裏應該產出偉大的文藝作品，這話也許含一面的眞理，但若直接的描寫戰爭斷無是處。若是象徵主義的詩人，則必用他種普遍的情感——超乎本色的情感來象徵同樣的情調。那末此時的人，此地的人，後來的人，他處的人讀了，也可產生同樣的感觸，而覺其情感之眞摯。這是象徵主義在詩裏的功用。

象徵主義在歐洲本來是寫實主義的反響，盛于十九世紀末葉的頹廢派(Les Decadents)或名象徵派的作家。開山祖爲Nerval，而主張廣布的則有Mallarine和Verlaine們。他們不用論理的途徑去索眞理的解釋，以爲用直覺可以表現個人靈感特有的現象。這篇不是討論中國文壇應用何種主義的問題，故無絕對主觀的見解。作者實覺得象徵主義裏應有相當的重要地位。象徵主義乃新浪漫主義的支流，不是爲人生的藝術的工具。但詩本身便不能—簡直來講—負『爲人生』的使命。免強來講，也不過是發表個人情感的工具—或者絕妙的工具。想尋爲人生的藝術的工具，不如去小說戲劇那方面求。哥德也曾說過『詩人當洞曉各種哲學的體系，但當屏除于其作品之外。』詩若變爲純然爲人生的藝術固不免哲學化與道學化，但象徵主義的本義也時常難免此弊。且一涉象徵，時多晦澀難曉之詞，這也是象徵主義的短處。但他不是詩裏單獨的利器，全在作者如何運用其工具能了。

象徵主義雖初起于基督教的藝術，但在詩裏能夠善用他的，確能表現不能與不便直言的情感，如青年人的愛情失戀情緒。它確是暗示主意或鼓動真情的絕妙工具。若要描寫超時間空間永遠延綿的情緒，它也是一個精當的助手。

—一三，十二，廿七。—

五　英詩人白浪寧

一.

英國文學史上域多利亞是一個暢茂繁郁的時期。其中最偉大的最算丁尼孫 (Alfred Tennyson)和白浪寧(Robert Browning)兩個人。他們雖處在一個時期裏但他們因爲品賦環境的不同，所以他們的作品遂因而分歧。丁尼孫孤調自鳴，清癯風雅，白浪寧心廣體胖，不能離社會之激刺。丁尼孫帶着國家色彩，作品的領域，乃國家上的內襲理想和大不列顛的問題。白浪亭胸懷廣大，但未嘗出個人境域之外；他的主意，想如哥倫布之探究人類隱祕之靈魂。故丁尼孫多少年情感之作，而白浪寧未免太過哲學化了。

白浪寧眞是命運的嬌子，他于一八十二年五月七日誕生，地近倫敦。那時英國的文壇健將華士活次(Wordsworth)科羅列住(Coleridge)司各脫(Scott)蘭市(Charles Lamb)祇在中年。而拜倫(Byron)雪萊(Shelly)方草他們平生的大著。白浪寧爲小孩時露司堅(Ruskin)

軼更司（Dickens）潔士（Keats）尚未入文藝之林，不過來往奔走服役罷了。 白浪寧從小便得到狠好的境遇他父親在英倫銀行作工，並狠有詩人的禀賦。 幼時他父親便常吟詩助小小的白浪寧酣睡。 他的長兄，仍是一大詩人，常將拉丁字之變例綴成韻語教導白浪寧， 他的母親也狠好，把伊好音樂的特性傳過白浪寧。 他的姨姐常對人說白浪寧幼時便似有音樂的訓練。他常常環行棹邊，用手擊棹，使棹聲和他的誦詩的音節諧調。 他從小便爲家中四壁的圖籍所環繞更加上富有詩味的家庭的惠陶，將來成就眞沒可以限量的了。

這末來的詩人，先受拜倫的影響。 十二歲已作許多擺倫派的詩。 十四歲他父親在舊書店買了一部雪萊的Queen Mab他狠喜歡讀這派的詩。 白浪寧得了這二大詩人的作品，他自說好像兩個夜鶯在他面前相鬥一般。 他從雪萊的詩裏得了許多靈感，對於他以後的作品不能算是無影響的。

在這個時候，他離開Roady's學校，在家請專家教授。 一八二九年他入倫敦大學。 他那時雖然時勤勉，却未至變成書蠹。 他在大學，仍然棹艇跳舞，擊技弄劍，像好體育的學生一樣。

入大學不久，他便和他的父親商量想把著述當作他終身的職業，他富于同情的父親，竟十分贊成他這計畫。 這未來的詩人既決定以詩爲他的職業，更要求他父親許可漫遊各地，以觀察人生之至善。他的慈父又贊成了。 他于是離開大學從事漫遊。 他晚年時，有人問他曾入過什麼學校，他常常答人道『意大利是我曾入過的大學。』

一八三二年他已二十歲了。 他當初所作的詩，都守秘密，知到的不過祇有他的妹子。 這年秋他作完了 Pauline。 他的姑母聞知便對他說：『Robert 我聞你已作了一首詩，這是印詩的銀子。』 這詩雖不甚通行，然他竟因此得了當時著名詩人 Rossetti 做他的朋友。 一八三五年，他用他父親的銀子印了 Paracelsus 詩。 這首詩仍像前首那樣通行，但是對于這位少年的前途狠爲重要。 他又得了許多朋友，各著名的批評家像 John Forster 及當時享盛名的文人如 L. Hunt, W. S. Landor, Dickens, Wordsworth 和他交遊。 這時候所有見他的人都說他是美少年。

一八三三年秋，他到俄羅斯數月，這時候沒有什麼可紀的事。 一八三八年他入他的「大學」—意大利。意大利對于他有絕大的感情。留連愈久他的戀慕愈增，他因此作了許多關於意大利的詩。當 Asolo 城要決意賣給這詩人所欲得的地時，不幸他的靈魂已逃他而去。他在意大利所作的詩，有兩個絕大分別的時期—一個是純然游歷時期，一個是同他愛人同住時期。這兩時期的詩，下面均有引述，現在先把他那段浪漫史寫下。我且名他爲『白浪寧式的戀愛』。但我現在不過大畧寫下，待下篇講以利沙伯白浪寧時再爲詳叙。

白夫人在白浪寧詩的生活上增了許多新勢力。白浪寧在他的友人 John Kenyon 處聞 Elizabeth Barrett 的名，極欽佩伊的詩。Kenyon 就勸白浪寧寫信給伊講伊的作品感動他的深處。伊雖染了殘疾，自負天才，看人不上；伊狠象是除非是胸懷磊落富有同情的人跳到伊裏便不能，行到伊的眷顧。誰知文字有無上神通，不久他們倆的愛情因此而漸漸成熟了。但是女有殘疾，父性又奇；他所有女兒都不許人求婚，這位多情的詩人，處在這個境遇之下，眞眞沒法。到了時，伊病益加重，醫生宣告，謂這女兒若不遷居意大利恐終沒望。伊的父親不許伊去。兩位詩一八四六年人，以爲捨此別無他途，遂不待女父的同意，私自結婚。他們倆卽時同往意大利。

到意後精神漸佳。他們遂盡力於他們所喜歡的工作。白夫人天才所粹的作品，亦于是時寫成，爲葡萄牙人的短詩。白浪寧亦于一八五〇年和一八五五年成了許多傑作。

他們倆于一八五五年返巴黎，白夫人以弱質殘軀仍猛致力於 Aurora Leigh 詩。但以後五年伊實和病魔相鬥，白浪寧亦身如護婦，一無所成。白夫人于一八六一年死於意大利，白浪寧哀痛之餘，不能再在意大利居住了。

他返英倫後仍努力作詩。欣賞他的詩的人，漸漸加增，書店更以高價收買版權。一八七一年某書店竟給一百金幣（即 Guineas 值中國銀千餘元）以爲一首小曲的代價。五日內竟銷了一千四百本！牛津和劍橋大學都有學位給他，聖安得烈大學竟二次投他 Lord Rectorship 的頭銜。他的命運眞眞比較別的文人好過千萬倍。他以後二十年的生活並不寂寞，年年增多了許多朋友，人人當他是那時一個智識淵博的文人。

他對于他的藝術的創作非常猛進。他最後的詩是 Asolando，在他去世那日刊行。他于一八八九年十二月十二日死在威內斯的 Rezzonico Palace。堅馬哥堂的鐘聲將打十响，這未死的詩人問英倫有何新聞。他的兒子念一電報給他聽，謂許多人想得他最近的詩。他笑着細聲吟道『眞感謝呵』他遂同這鐘聲同去。他本欲同他妻同葬于意大利但因爲國人的要求，所以遂移回英倫葬于 Westminster Abbey 寺裏的『詩人之隅』

"Open my heart and you will see
Graved inside of it Italy"

二

我所讀過批評白浪寧的詩的人，除英倫三大批評家之1George Saintsbury外，其餘幾乎個個批評家都說他的詩隱晦（Obscure）。評他的人，未嘗沒理由。白浪寧才識充足，作品的詞意，多超出平常人所能領會的範圍以外。他的文字簡潔，詩體浪漫，不是一覽無餘，仍需細細玩味方能領畧。他並不避俗字俗語，且常用典，他並棄去許多常用的冠詞，介詞，動詞故于思想之外，更加上一層藝術的困難，所以他的詩有隱晦的名稱。

以上不過是他詩的軀殼，他詩的內部也有許多和別個詩人不同的地方，他的詩是浪漫體，不是抒情詩。他不甚注重外表，常導人入人的心坎裏。他是善于思考的詩人，不長于敘事，不慣描寫自然，寫人生，但善描Strong在他那部大詩人和他們的神學裏曾先下一個詩的界詩然後批評白浪寧。他說『詩是將宇宙的理想關係，用想像的複製，並用韻語的文體來表出這種關係的』他更解明以爲一個詩人應當是一個創作者，一個實現理想者，一個文學的藝術家。他把這三種詩人應有的稟賦來評白浪寧，他說『白浪寧是極大的創作天才，是一個較小的實現理想者，更小的是爲文學的藝術家。』白浪寧真是一個創作天才，他在英文文學上創了一種Dramatic Monologue體。他的藝術的修養，真不及丁尼孫。丁尼孫自少至老，都時常把他自已的詩推敲，所以他在英國文學上發生一種特殊的貢獻，就是介到英文詞料上豐富許多。白浪寧本來才大意豐，故完篇後永不修改；又不避深詞俗字，所以他藝術的形式不及丁尼孫。他對於英文詞料上的貢献也不甚大。

至於他詩裏的意思，我們不可不研究一下。他在那部詩名Sordello裏的發凡，有狠明的表示，他說『我所注重的在乎靈性的發展的事實』，由此我們可以知到他作詩的主意了。他有一首詩名 My Last Duchess 的，他在這首詩裏是用他所發明的 Dramatic Monologue 詩體。這詩太長且難譯，我且依樣小泉八雲的話來用散文體解釋一下。若想知到這首詩的眞面目，請閱者取原詩來參看。

這首詩初始是述某公爵的說話，聽者乃是鄰邦一個媒人。因爲公爵想娶這鄰邦的女公子，所以有以下的話告訴這媒人。換一句話，即是他講出他所想娶的夫人所必具的條件。當時在他們相遇的房中，這公爵抽起一幅簾，內中發現了一幅美人的油畫。這公爵便對這個人說：「這幅畫就是我最後那位夫人的眞相。伊眞是美麗，你以爲如何呢？這一幅畫乃是一位有名的大僧的筆跡。因爲有許多人——若果是大胆的——見了這幅美麗的圖畫，必定問我畫者的姓名，所以我先講給你聽。我曾把這幅美畫給許多人看過，但除我之外，沒有一個人敢抽起這幅簾的。那位大僧用了一天工夫，畫成了這幅美人圖。但許多人看見畫裏臉上的笑容，必定惹起許多疑問怎解這樣賦媚的美人，致變成了一幅圖畫。你須知伊目光炯炯的不是看着我伊的丈夫——就表現伊玫瑰的笑臉。伊或是爲這畫家諛詞相進所以她笑臉相迎。伊眞是逢物必笑無人不笑，但伊笑得未免太容易了！ 她無論見着什麼東西，甚麼人物，都會笑起來。她對着什麼東西，都不覺得有多大的分別。 我給他的寶玉，他固然對了便笑，但她對着落日，櫻桃縲子，或甚麼東西，甚麼人物，都可以大笑一場， 甚麼事情都可以令伊喜歡的。 我不怪伊致謝于人，但伊不知伊的丈夫有九百年的家勢， 對別人也和對着伊的丈夫一般。』 這公爵講這婦人的品性，以爲愚鈍，實在至少也可以表出伊可愛的天眞品格。

試看他呌那給櫻桃與他妻的爲『好事的愚人』，便可以表示他實發狂似的妒忌他的妻，講起來，實在沒什麼理由。 可憐他的夫人完全不懂，可憐的人呀！ 但這公爵也不想人知到。 他說：『像我這樣的人，實在不能降格以表明我心中所感覺的是什麼。 像我這樣的人，不能對着一個婦人說：「我見你除着我之外，對着什麼人都笑，我實在覺得痛苦得狠」。若我和伊講及這件事，一定以爲我是妒忌，伊一定可以尋出推辭的話，但這樣豈不是大胆逆了我的命令嗎？ 無論如何，若我想及我的感覺，我若非詩人，若非俗子，眞眞是狠難過的一回事呢！ 我不是詩人！我有一個公子，我必不這樣那樣講給別人聽——婦人更甚——因爲可以減少了我的聲威。 所以我什麼都不講。但你或誤會以為伊見着我一定不笑，這實在是錯的，我經過時　一定笑着迎我。但可惜伊對着別人也是同樣的笑法。所以我發出命令，歡聲便完全停止了。』換一句話，就是說他令，她死了。或者他令人割她的喉，令她飲毒藥也未可定。至到伊如何開罪了他，他也不說明。這個富貴的公子，還沒覺得有毫絲的煩惱。

他現在和這個媒人瞧着這個壁上美人的畫，他冷悄悄地發表他的意思，不過當這是一件美術的作品。他並且說『你自已可以看出伊如何的美麗，但這不能阻止我殺她的觀念』。

到這時他們或者已經坐下，這位公爵接着說：『伊到了現在，還似活着一樣。我們此時同下樓罷。至到這件新婚事你可以講給你的主人聽，我以他那樣闊綽，必不計較我這正當要求的粧奩—雖然我是專要他的女兒的』及後這媒人鞠了一躬，她讓這位公爵先下樓。他答道：『我們現在可以同下樓了。』他們正當行着，或者在那大梯的轉面這位公爵就指着一個狠細緻的銅雕像—海神的像—請那位媒人美慕，這便完了。

這首詩的絃外音閱者可以自已細行尋味了。

白浪寧有許多戀愛詩，若有『接吻的文學』他的詩也應選入，並且可以占一個很高的位置。在他的詩裏，他首用昆蟲和花的關係來表出接吻的玄妙。他當女子的口爲花，男子的口當爲探花的昆蟲。他的詩有這樣的講法：『我閉着口，你和我接吻，好像夜的飛蛾，遇着未開的花不知那裏是路，』另有一處是用蜜蜂和花的關係來講，更覺有趣。我們知到若果一只蜜蜂遇着花合時，他不能在頂上進去採取甜蜜，他一定衝破了花瓣，從旁邊入去。這裏的女子實在不過說：『你輕輕的和我接吻之後；現在可以狂放的和我接吻一番了』。以上所講的雖然是遊戲文字，但他原詩用字句的妙處，眞可以登諸文學之林。

白浪寧是一個極樂觀極能奮鬥的詩人。我們在他所作的 Rabbi Bonezra，詩中可以看出。白夫人死後，他作了一首詩叫做前瞻(Prospico)登在大西洋月刊裏。他表明他對于永生說之信仰。他將死的時候曾給一封信與一個朋友，都是發明這個意思的。他說：『你和我都知到死便是生命之實在，這個問題不必辯駁。就我個人來講，我反對「死了萬事都歸于盡」的話。你永不可說我已死了。』

講到白浪寧的人生觀，若不看他臨死時最後所作的那首詩，也不能窺見他的「全豹」。這首詩名 Apilogu to Aslando，是一八八九年所作，在他死那日發表的，實可當作他人生觀的結晶。他那首詩裏表明他的樂觀，和奮鬥的精神，並信永生說的眞理。末後那幾句話，是何等能幹何等力量！雖死猶是樂觀，眞可謂有徹底的主張了。

三

以前我已讀過白浪寧的短詩，雖然可以畧畧認識這位大詩人的片面，但他生平的傑作，他天才的表現，實不在他的短詩裏頭。我們若要看他的天才，他藝術充分表現的地方，不可不看他那首長詩名爲這個戒指和這部書（The Ring and the Book）。這首實是詩的劇本（Poetic Dramma）。若是用細字密行印成單行本，大約有四百多頁。除都沙士比亞的劇本以外，實沒有能及他的眞摯和悽慘的。這書分十二卷，每卷均用白話體，幾乎每卷都是一個新人所講的話。

這段故事，是叙述意大利人在十七世紀時的生活。書中最重要的事，是發生於一六九八年。這件事不是憑空造成的。白浪寧在意大利時，在那裏的書店用了八個便士買了一部小冊子。這一部小書是零碎散紙所製成的，這就是書裏事實的根據。至他這部書名的由來，更爲奇怪。本來意大利的金工是狠精巧的，造戒指更妙。他們常常把狠細緻的動植物描在戒指上。他們製得這樣細緻，所以若戒指墜地，那精細的物形一定受了損害。但純金是極軟的，他們怎能夠刻物形在柔金之上呢？他們先放一種雜質在軟的金裏，令軟性的金質變了剛性，他們遂從事雕刻。雕刻完了，他們即鎔去雜質，獨留下純金和雕刻的物件在戒指上。白浪寧講他著這部書和意大利的金匠製戒指一樣。法律和歷史上的關事實是代表金，這詩人用他的想像感情同情心把這段故事製成了這篇完全的劇本，好像一只戒指那樣圓；這就是這書名的意義。

這部詩的劇本既然是一部狠有價値的書，我們想研究白浪寧詩人一定要知道的。但是原書太長，不易讀過，況白浪寧詩有名難讀，所以我只把小泉八雲的畧述意譯出來，引導各位將來讀原本的興味，他說——

大約在一六七九年羅馬有一家名琴破連尼(Comparinio)。琴家有夫婦兩人，但是他們沒子女，若依法律來做，他們便不能取得他們所急需的銀子。他的妻名薑愛蘭，伊知伊的丈夫過于忠實，必不想欺騙法律來取銀。所以伊暗中設計，裝成像已經生了一個孩子一樣。實在這個美麗可愛的小孩，是伊從一個蕩婦取來的。名叫做彭比利亞(Pompiria)。小彭就算是琴家的孩子，那麽他們想得的許多銀子就可到手了。這是悲劇的第一猝。

彭比利亞長成時，成了一個艷麗的女子。當他十三歲時，許多人就想和伊結婚了。亞利雖有個伯爵知道這個女子的麗質。因爲想得這女子的錢財，所以想娶伊回來，但是他是一個貌醜奸滑貧困的老頭兒。可是他位從狠高，家聲又好，所以對于貴族顯要方面狠有影響。這場婚事，居然交涉成功了。一個十三歲妙齡的彭比利亞，一定不喜歡和那個壞老頭子結婚。但是伊生來孝順，對于伊父母的命令一切依從，猶如聽神的命令一般，所以一句不願意的話兒都不肯講。既結了婚，這個壞伯爵就完全取了琴家的產業；但是他從前已經應許過，即是女子的父母此後遷入伯爵的宮中居住他情願供養他們至以殘年。但是這伯爵種種希望實現後忘恩負義，竟不許那兩個老人在他宮裏同居，完全把他們拋棄了。 這是悲劇的第二幕。

琴家受了這種待遇，自然狠不喜歡。 伊的媽媽因爲憤怒到極，所以將從前怎樣取彭比利亞做女兒的始末和盤托出，講給伊的丈夫聽。 這事的法律方面，就完全變更了。 老琴走到伯爵那里對他說：『你取了我們的銀子，因爲你以爲你已娶了我們的女兒。 但你要把銀子交回我們，因爲這女子實在不是我們的兒女，銀子就不屬伊，你一定要把這些銀交回我們所欺騙的政府。』 這是悲劇的第三幕。

這個伯爵通曉法律的程度，比琴家的人好些，所以有法子對付這件事。 他知到若果他要彭比利亞做他的妻，他就可以保全這些銀子。 他若當伊是平民離了婚，他必定要捨棄財產。但二者不可得兼。 然他還有第三個法門，若彭比利亞不貞，他或者可以殺死了伊，或者逐了伊，仍然可以把財產據爲已有。 彭比利亞乃是一個十三歲的妙齡少女，對着一個奸狡小人，他用他的詭譎的手腕，殘暴的行爲，可以引誘伊去行那不正當的路。 這是此事最單簡的解決法。但說來也奇怪，這可怖的老頭兒竟不能克勝這十三歲的少女。 他當初惹動了伊的肉慾，令伊起不貞的幻想。　但伊的心腸太過純潔，不能染一點纖塵，懷一種詭念，伯爵計遂不得逞。　後他再試用武力威迫種種野蠻手段，但仍不能達他的目的。　他的眞意實在想伊求去。　伊若求去，沒有待衛是不能行的，但若有待衛可以說伊不貞了。　伊若不貞，則伯爵可以殺了他們兩個了。伯爵用盡種種絕無人道的待遇，迫到伊要索待衛求去，伯爵的目的就了達到了。　伊未做到這一步時本來起初就求教士和主教的保護。　但那時的教士和主教都是懦夫，狠怕伯爵，不能相助。　伊又想做尼。　尼姑們怕伯爵，又不按受　的禱告。　後來伊才找到一個有胆量的教士願意相助。　他說：『雖然這事表面上不甚好看，但你實要同我逃走因為除此以外我實無法助你了。』　他們就一同逃去。　但怎知不出二十四點鐘，這對可憐的人兒已被伯爵的兵士趕上。殺彭比利亞和伊的『情人』的機會到了。　但那所謂的『情人』雖然不過是一個正直的教士，他居然挺身出來保護彭比利亞使不致受伯爵的兵士的毒手。　他並宣言謂若非教會，不能處理這件事情，　教會遂把他們一齊拿起。　彭比利亞被收藏入一寺院。　教士對于貞潔方面雖然宣告無罪，但他破壞教會法律，所以判他應受若干年有期徒刑的處罸。　這是悲劇的第四幕。

這伯爵的計畫通通失敗了。他雖輕輕地破壞了他妻在社會上的名譽，但他究竟不能令有不貞潔的行的。他現在除却殺了之，外實在不能保留伊的財產伊現居在寺院裏但當伯爵正在謀畫時，忽然發生一件新事，令他的全盤計畫都倒置了。這事就是彭比利亞生了一個小孩，他不能不承認是宅的父親。這財產問題，在法律方面因爲這新生的小孩，就更複雜了。這伯爵希圖報復，遂決要殺死彭比利亞和伊的父母。他知到伊某一天必去探伊的父母。他待這個機會，約定老練的膾子手去帮助把琴氏夫婦殺死，並用短劍刺了彭比利亞二十二次。他以爲這件事可以永守秘密，罪名必不至加上他的身上。但這可憐的彭比利亞，是狠難刺死的。他柔嫩的弱軀雖被壯夫刺了幾十次，仍能保特性命；伊愛可的年華，仍能維持伊的生氣以至于把這事完全講給警察聽完之後而後歿去。那末這伯爵和請來的兇手，遂被拿去放落監獄。這是悲劇的第五幕。

拿兇手入獄是一件事，但是定罪處罰，又不同話了。這伯爵有軍隊，貴族教會的大勢力作後盾。世界上那里可以找得出正誼。這伯爵有勢力的親朋都合力營救。其他的爵子爺將事，教會中各等教士，富商官僚，都盡力運動，使他可以無罪出獄。　他們又得大律師為他辯護。他們又用金錢勢力來恐嚇證人，使他不敢來對質。　但想釋放伯爵，先要辯明他殺人這件事因為這件事已有了証據了。　若果伯爵可以証明這女子真是不貞，他就可以自由出獄。　所以他們遂竭力毀壞這女子的名譽。　但証據通通被裁判官推翻，並且宣告他的死刑。　所以伯爵的朋友協力上訴教皇，若果教皇的裁判，受了重重的壓力，或者可以救放他。　但不幸這個教王目光銳利，他一檢查此案証據，就洞曉此中真相。　他知到被刺的彭比利亞的無罪，和伊的美德。　他更知到想救伊榮的教士的義俠。　他即命令這伯爵須即刻受罰。　若謂殺人抵罪是正誼，正誼就算戰勝了。　但財產又若何？在寺院的尼姑，用不大光明的手段取了財產。　這伯爵的家庭不能向寺院索回，因為當時教會的勢力，比伯爵的還利害得多。　這教皇是全篇中最好的人，他一定不知到這件事。　在歷史上這教皇是 Innocent XII 但在白浪寧所描寫的人物，他狠像在他前的 Innocent XI。

以上所述這件事的始末，是發生于二百年前的。　雖然是簡短的述畧，已經寫了這樣多，各可位以想到這事究竟如何複雜了　小泉八雲曾問過他的學生他說若你們要拿這件事來作詩，你們用甚麼方法來作到有興趣呢？　若問到在那裏起首？如何令到這件複雜的事，成爲有藝術上的秩序？　這事在沙士比亞手中，也必令他躊躇。　這事已令白浪寧躊躇了一年多然後想出整理的方法。　在這件複雜的事變中，能講述到有精采，眞是除却天才決沒能夠有絲毫成就。

這部書眞是一大件心理的作品。　書中的人物雖單講他們的思想，言語，各個人實有各個人的色彩，沒有一個和十九世紀的人物相同的。　創造他們，幾乎和叫二百年前的人返生一般。單就這件事來講這部就可算作奇書了。　這部書不獨是可以令人驚奇，它並是最高等有哲理教訓的作品。　實在那部詩的內容這樣複雜，可以說世界上甚麼東西發生都可用它——這個戒指和這部書——的式樣來批評的。

以上一大番話，通通是介紹諸君看原書的話。「千聞不如一見」望閱者立志去看原書自已和它結識，則眞正的白浪寧或不致爲我這篇欣賞小文所湮沒了。

——二十，八，十四.

六　以利沙伯白浪寧

十九世紀維多利亞時期大詩家除了丁白外較小的就是白浪寧夫人了。白夫人的全名是以利沙伯巴力白浪寧（Elizabeth Barret Browning）。伊生於一八零六年三月六日，在英國的德威地方。計起年歲來是大過白浪寧六歲。但是愛情根本上就不計到這些年紀的小事。於一八六一年六月三十死于意大利的福祿蘭斯。伊的丈夫壽伊比多二十八年。他們雖然同居了十五年，但在這狠暫的日子，「白浪寧式」的戀愛，居然引起許多人的夢想和愛慕。

白夫人幼時所受的教育，是男子的教育，不是平常女兒所學的。伊最愛拍拉圖，希臘的悲劇詩，和希臘教會神父的作品。伊有一首詩名希臘的作家，看了便知到伊對于希臘的知識。伊在十歲的時候，便為流行雜誌著述。在十六歲時，伊即刊行一本書名心論和別的詩，七年後他翻譯一部書名 Prometheus Bound of Aeschylus 但後來不曾把那兩部詩放入全集裏。

伊在三十歲時，密芳(Mary Russell Mitford)已結識伊，伊描寫伊當時的情形如下：

『伊一定是我平生所見最有趣緻的人。這不是我個人偏私和一時興來的話；凡見過伊的人，也有同樣的感觸。伊生得狠漂亮，兩旁鬆髮落在富有感情的臉上，伊的眼大而且黑，默默含情。伊帶着這狠光亮的笑容，表面呈露這富般于少年的春氣，我覺得頗難勸我同行的人，話這Prometheus of A'schylus的譯者，Essay on Mind的作者，夠了年紀，可以介紹來同居—實在不是。……我在城市時常當見伊。我見伊這樣多，所以我們的年紀雖然不同，(密芳姑娘當年已是五十歲)但我們的友誼居然成熟了。我回家後我們常常自由通信伊的信—我以為凡信都應當這樣作法—實在放伊的話在紙上。』

一八三七年伊已三十一歲，伊得了殘疾。一年後伊在英國的 Torquay，伊在那裏狠快樂。在一個夏天的早晨，伊可愛的三兄弟和有些朋友在一小舟上遇險，完全溺斃，尸骨不回：這事對于伊的殘疾，實在發生狠重大的影響。伊經過一年，才能移居返伊爸爸的家中—倫敦，但伊回去那個時候，在殘疾車中，一天不過祇可行二十英里呢！伊好讀書，但伊的身體狠弱，所以醫生不許伊用功。但伊狠喜歡希臘的文學，所以將拍拉圖的書裝釘成一小本小說的式樣，以免醫生常常告誡的煩擾。伊返倫敦八年，伊殘的疾生活，似乎沒有希望。但伊仍然無書不讀，伊用盡伊的心血在詩上。伊最愛的伴侶就是希伯來的聖經（即耶教的新舊約聖經）和希臘的書。伊在書中尋求快樂。

一八三八年，伊刊行一小冊子名 The Seraphin and other Poems，後來又印行 The Dramma of Exile 和幾篇投登雜誌上的詩，及論希臘的耶蘇教徒的詩家的文字。一八四四年伊刊行詩集，共分兩冊。在那兩冊中，最新的詩，又是最著名的，有一篇名芝剌戴淑女的求婚，其中有幾句詩是這淑女和伊的情人所供讀的。現在我且鈔下來，因為這幾句詩，便是後來白夫人自己的『紅葉』：—

"Or at times a modern volume: Wordsworths solumnidyll
Howitt's ballad verse, or Tennyson's enchanted rev·ric;
or from Broniwng some "Promegranate," which, if cut deep into the middle,
Shows a h·art within blood-tinctured, of a veined humanity."

這詩最後兩行，是贊白浪寧的，不知伊因此便有了新生命。白浪寧當初和伊未曾結識，他欲到來謝伊的好意。伊家中的僕人，以爲他是這家的朋友，就帶他到伊的病室。他請求再見，伊即允諾。不意他們愛情由此已互相增長。白夫人早已在詩壇上享了盛名，伊的爸爸因怕伊不逢其偶致傷他兒女的體面，所以不許伊結婚。但他們已愛到不可解的地步，所以二年後，即在一八四六年秋天，就結了婚。除他們倆外，世界上沒有這樣快樂的配偶。白夫人在殘疾中起來，接受定婚的戒指。但自這日後，伊的軀體，便日有進步。在他們同居十五年中，伊的體魄比前較好得多。

他們結婚後，就在意大利的福祿蘭斯居住。他們快樂得狠。五年後密芳姑娘見了白夫人，伊有以下的說話：『這個夏天我在倫敦見了伊，伊同着一個狠活潑的小孩，伊身體狠壯健。我和伊是談意大利的樹林和太山大嶺等瑣事。』

他們夫婦不久就遷住于福祿蘭斯，除却有時返英倫外，福祿蘭斯實是他們的故居。白夫人結婚後，在一八五十年有一首詩與別的詩同時刊行的，共四十二節，乃用十四行的詩體，名爲

第二齣　以利沙伯白浪寧　　　　　七六

葡萄牙人的短詩 Sonnets from the Portuguese。但是葡萄牙人的詩實在和伊的詩絲毫沒有相同的地方。這實在是白夫人愛情生活的結晶。不過這些詩情緻太過纏綿，所以伊托名刊行罷了。

白夫人在意大利所作的詩，除却 Aurora Leigh 之外，其餘幾乎全是濃摯愛情所激發的作品。他們在意大利時，適意大利圖謀統一，他們覺得窺見獨立的曙光。在Casa Guidi住時，伊曾作過一首長詩，名為 Casa Guidi Windows，伊狠同情于意大利統一之戰。

伊在一八五六年刊行伊平生所作最長的詩名 Aurora Leigh，這詩共一萬四千行。伊自己說『這是我著作中最老到的詩，我平生自信最高上的生活和藝術，都已放在這首詩裏了。』伊前在英倫已把這首詩作過一半了，返意大利時，在一八六十年刊行一首詩名 Poems before Congress，後來加了些詩，又改名為 Napoleon III in Italy, and Other Poems，其後伊也有許多關於意大利的詩，現在不舉出來了。

白浪寧夫婦兩人情好甚篤，真能『以伉儷而兼師友』。我于這篇的結論裏且舉 Fanny

Kemble 姑娘的話，作我這篇文章的收場：——

『我所識得的人，以他（指白浪寧）對待他的妻室爲最合于耶教徒的本旨。伊旣脆弱，與世相離他在十五年中，除却一次外，未嘗不在家中用膳。在倫敦時，這壯健的英人，雖平常不偏於情感，而當着每年結婚紀念的日子，他便往前時結婚的禮拜堂跪下，用唇來親那門階。他最後得病時，每晚必喚人取他夫人臨終在床上給他的戒指，陝落他的口唇邊數次然後睡去。』

——二十，八，二十四.

七 拜倫的浪漫性

一.

處在一個偏狹冷酷社會裏的人，苟他是鐵石心腸，猶可混混沌沌地免强支持歲月，但若他不幸是富於情感，或行事稍爲不合時尙，而一番處世難言的隱痛，又無地以表白，反因而惹起獸守古法道學先生的嘲諷，這個不幸人的反感如何，除曾經滄海的人，眞難多說一字．拜倫生帶愁根，抱着飛塵絕跡的素懷，偏偏遇着那冷氣侵人鬼氣森森的惡僞社會，則由此而發生的浪漫史，我們若要明瞭了解，除非先灑幾點同情之淚呢！

十八世紀末葉至十九世紀初的英倫，那裏有人的生活　當時所謂文化，所謂禮，貴族的，虛僞的罷了．　人人都支撐着門面，人人却處在一個大慌誕的團體裏．　所謂宗教，不過是維持貴族地位的點綴品．　所謂輿論，不過是少數處在高樓大廈的人們的護身符　富有反抗性的拜倫所表現的浪漫史我固不敢贊一詞，不過我覺得他的率直處，還值得我們同情的人的研究．

拜倫浪漫性的誕生，若說完全是社會環境所激成，未免太過輕視遺傳的能力了．　他的父親約翰拜倫(John Byron)也不是一個安分守己之士，他曾挾着一個有夫之婦，因財私奔．　他的叔父也曾決鬥殺人，也曾受過巴力門的審判．　他的母親呢，更不堪問了！　伊自從爲伊的丈夫所拋棄，即抱着拜倫移居阿白廷(Aberdeen)州．　伊生性不常，忽然憤怒，便裂衣裙．　當伊的遊蕩丈夫辭世，伊幾失常性，哭聲震動遠郊．伊對待拜倫，毫無母子恩義．拜倫生而路跛，母常疾趨其後呼他為『跛子』，且亂擲煤鏟火鉗於拜倫頭上以侮辱他．以銳於感覺的拜倫，幼時便處在這『獅母』(The Lioness)統治之下，他所受的激刺當為如何．但他依然緘默，盡母子的情義，不露一點的怒容．一天，他忍無可忍，在他的緘默憤怒中，聞說要人取去他自桌上加於他喉間的利刃，以免他自戕．別一時，他們母子罵得太凶了，聞說他們俱各私靜地走到賣藥的人考問或一個已否買了毒鴆，並且告誡藥師，不可以這等藥物兒售，致累人命．以處在這樣背景的人，憤世疾俗，飄零一生又何怪呢！

同他浪漫性來的並有一種俠氣．他童稚在夏洛(Harrow)讀書，曾目擊一個較大的學童，說他有強使一小童稗利(Peel)的權利．他說稗利刁頑不馴，乃擊他臂內嫩肉，並扭撓其手以增其苦．拜倫時年太幼，自分不能抵敵這個狂且．猛怒之下，淚眶滿而用他戰慄的音調走近大童之前，問大童究竟想打稗利幾下．大童聽了大怒答道『你這小小的呆子，這事於你何干？』拜倫伸手答道：『因為，……若你喜歡，我可替其半呢！』這種天性，可謂和他與生俱來，他以後遇着人們的困苦悲傷，永未曾不提他援助之手。他在意大利的晚年，在用費中每四千金鎊裏必提出一千鎊爲他人効力，這也不過是這童性的表現罷了。

二、

拜倫的學校生活，也同其他富於天才的人，藐視學校的畢業證書，不重日常功課與常規，而肆力於他所癖好的東西　這不曉得是不是天才修養必經的階級——因爲集中精力，熱烈與趣所釀成的作品由此可以製造——或不羈束天才的惡果呢！他自幼入學校讀書，無甚增益，幷未刻苦用工　後來入劍橋大學（Cambridge）奈士達大學（Newstead），倫敦大學（London）也不謹小行，晝夜倒置，遊蕩不羈　他雖略爲跛足，但丰采雅飾，年少翩翩　他恐身體過胖，曾屢日絕食，幾頻於死　麻爾（Moore）在所輯拜倫全集中拜倫傳裏有下面的一段記錄：

『前兩天拜倫男爵除食數塊餅干（以撫慰食念）咀嚼灰膠以外，絕無他物入口……他的食品，限於龍蝦，除他自分的二三個外，也不多取——有時，間以一小杯最醲的白蘭地酒；有時，飲一杯最熱的沸水，又繼續飲清醇的白蘭地酒直飲至半打……繼此以後，我們便飲紅酒，飲了兩樽巳後，約已早晨四時，我們便告辭了』

次日，在他自己的雜誌裏有以下的記載——

『昨日，——和大衞司（Scrope Davies）面對面的坐在一間茶室——由六時至夜中——我們飲了一瓶香檳酒，六罐紅酒，但這兩種酒，對於我實不發生甚麼影響呢！』

他這種自戕的行爲，他的微軀那能抵抗得住？所以不久他的胃漸漸停止其機能．他雖然有時也想發憤立志去作制慾的工夫，但時間有限，實在不能發生多大効力．他的身體的各種機能，遂發生變化，或竟帶些頹廢的朕兆．他雖然這樣縱慾，但自有其致此的原因，我們若輕易放過，妄致評詞，必不能諒解拜倫的爲人．看看他自巳的說話：

『我常夜中驚醒，無論什麼事，都在一個失望喪志的環境中，雖隔夜的歡娛也不能令我有毫絲的喜意．五年前在英倫時，我曾得到同樣的憂鬱症，但伴若來的有一種大渴症．我曾於眠後一夜飲過十五罇汽水，仍苦渴如故』

這樣豪氣唯李白將進酒裏『會須一飲三百杯』可以東西比美．蘇子穀也曾一次飲冰五六斤，致成大病．子穀事事學拜倫，而猶以學他的浪漫性爲似，而子穀亦卒以此戕其軀．子穀於世無戀，『命薄如絲』或借此了此一生，故如拜倫之放浪呢！

三

談到他的戀愛史也極浪漫的奇觀．他性慾的發生，或較他人爲早，他八歲已鍾情於一小女名瑪利陀芙：（Mary Duff）連他自已也莫明其妙．或因他富於情感，纏綿的天性，自幼便流露於不知不覺之間，所以以後發爲詩詞，也極眞情澎湃，能發現人間愛裏的神祕．現在且在傳裏譯出一段他自述八歲的情緒，他不隱瞞的直白，也可表示他爲人的眞摯態度了：——

『很怪異的我竟死心帖地鍾情於那個女郎！在那個年齡裏，我並不懂得性慾是甚麼，並那個字的意義也不能明白了解．……我尚能囘憶我們的情愛……我的焦燥，我的失眠狀態，我的苦楚，我對於那位女郎鍾愛的程度達到那個高度．我曾思疑我以後實在不知到曾經有再爲人緊着了沒有．當我聽聞伊結婚的消息傳來時…………我幾乎全身發了拘攣症』

他到了十二歲時，又曾鍾情於他的表妹柏嘉(Margaret Parker)，他又曾有以下的記述——

『我的性慾仍然接續着對於我發生影響．我已不能眠了，不能食了，不能恬靜地安憩了；我雖由我的理性知道伊愛我，但我生性不能免的，就是伊雖和我通常不過有二十點鐘的暫別，我也不能不作緊緊的繫念．但我當時確是成了一個蠢子，——雖到了現在也不覺得賢明幾多』

他以後眞眞不覺得高明幾多，以後讀書也不很用功．而恣情於極端娛樂的尋求。這是天才的厄運，這可算是自然對待天才的慘酷手段嗎？

這匹不羈的馬加上了鞍轡，或者可以稍稍壓抑那奔放的狂態，這是當拜倫和美利板克女士(Milbanke)結婚時，許多人的想念．依理這也是一種很合理的估量．不意美利板克竟不能勝這個重任．伊是謹守當時所謂禮法的婦人，正直而毫無感覺，雖然伊不能犯什麼雖至微小的過失，但永無寬恕人的度量．依據他僕人的觀察所說『除了我們的太太以外，永沒見過一個不能管束我們老爺的人』由此可以窺見拜倫結婚後的生活了．他的浪漫性致惹起他夫人以爲他是染了癲狂症，乃令醫生檢驗　不意檢驗的結果，據醫生的報告，他實是一個腦力健全的人，但伊還不滿意，於是他們於一年後遂分居離異了．　在近日的社會裏離婚不覺得有什麼特別的大罪惡，但在那時的虛僞社會裏，這事比殺人放火還要利害，所以拜倫的友朋，都勸他規避，勿再去戲院，議院，以免人們的笑罵指謫．　當時所謂輿論的大怪物也狂起攻激，以盡他們維持風化的大責任．　這一次大波瀾，反響到感覺最銳敏的拜倫，他更覺得世俗毀譽之不可靠，他對他的友人說——

『若果他們的耳語怨謗咒詛是眞，則我不宜居於英倫；若他們所說是虛僞，則英倫更大不可久居了』

這失志於時，不容於本土的詩人，遂於一八一六年夏季（時年二十八歲）離開祖國，一去不返，終死異域．　着實來講，那時虛僞空氣包圍着的英倫眞沒甚可以留意呢！

四．

反抗性之在人們的生活之表現，不過顯明人類本身實蘊蓄着這種天性，不過有時有地有個性的不同，故或溢起湖心的微漾，或激動海裏的狂潮．詩人的感覺，社會的困迫，加以先天的反抗性，拜倫又何能容於英倫，英倫更不能容拜倫了．若使拜倫是一個庸夫俗子也可安恬地不識不知地渡了一生，不幸拜倫不是這樣的人呢！他生來便帶點貴族的性根，雖在幼年，已不能抵當世人之譏刺．他的護婦輕蔑地諷他將新外套玷污．拜倫忍無可忍，在他的靜怒中當場向着護婦把新外套撕裂，矗立不動，獨立當仆怒目之前，以鼓動伊的餘怒．這實在是他的自矜驅他所致．他十歲便承受『男爵』的遺銜．但他那種驕矜之氣，得此更足以長其風燄．但他的反抗性，是一種靜的反抗性，是一種詩人的反抗性，或更可說是一種無抵抗的反抗性．十歲時當校友初稱他為男爵時，他因答不出學校常例報到之到字當着校友萬目睽睽之，時竟然潸而流涕．別一時，當他在夏爵（Harrow）時，學童因事辯論，分為二派．一學童說：『拜倫必不聯我儕，緣他無論在那里也不肯甘居人後』．後來他們願聽他指揮，他乃俯就他們所請．永不降志，頭可斷而名位不可移，雖和全世界作對也，不覺得有絲毫的悔氣，這是拜倫的品質．十歲時因位置的緣故，也曾減衣節食，又當讀拉丁文時，他足部受木器所傷．他的教師很憐憫他說：

『他必定受着苦痛呢』拜倫答他說『Mr. Rogers, 別當意，你實不能看得出些微苦痛的痕跡在我的身體裏』　這是他幼年的脾氣，長大時也是一樣　他的肉體與靈魂，都是準備着與人們挑戰．他雖常練習拳術，舞劍，放手槍，行走，跑馬及抵抗各種困難．這是他軀體上的玩意兒，但他還要其他的訓練．他因爲無敵可尋，所以公然和社會作戰．當時最有勢力霸佔着英倫的要算當時的教會政府，和輿論這一個大怪物．拜倫處這個專制的環境中，獨樹一幟，贊美法國革命之神福祿特爾（Voltaire）盧騷（Rousseau）與拿破侖，自認爲懷疑派的徒黨．公然攻擊當時的貴族社會，說他們是虛僞的結合，戕賊人性的團體．他和當時維持秩序的警察也鬧起意氣來，所以他所住的地方也受了警察的監禁，並且有人恐嚇他，說有人將致他於死地．但他每日仍然如常的跑馬，並往鄰近的松林裏，練習施放手槍．這實在是這個人的品質，他當風獨立，候那槍火彈林的貫來．這種實在是偉大的情感，並且是很英雄的氣概，但並不是和適的品格；並且在這驚濤駭浪中，他仍然是如前的不快．實在世界上最令人不快的東西，就是好勝之心．但他受他天賦好動的品質所驅使，不得不然，所以他說我若不作無論那一樣的活動，我便困苦以死．　這是反抗性之淵源，這是浪漫史之導火線，這是革命家的眞神精．

五．

講到他的藝術也深受了這浪漫性的薰淘．　當時的英國文壇，已是浪漫主義興盛的時代，米爾敦（J. Milton）特拉伊騰（J. Dryden）蒲伯（A. Pope）的經曲派大師，不知受盡當時多少人的唾罵．　拜倫挺身出陣，爲他們辯護，以與時代思潮相抗，這完全是他的反抗性使然．若依他的作品內容分析起來，則他實是一個浪漫派的巨子．　他字裏行間，那種疾風捲雨的手腕，可以使人歌，可以使人泣．　他作品中的主要人物所謂『拜倫式的英雄』(Byronic Hero)即他自己的寫眞，不知惹了多少人的崇拜．　浪加（Long）所謂『他是一個驕矜神秘的異客，揮金如土，不謹小行，處世有難言之痛，女性所不能抵抗的柔媚者』　便是他的作品便是他自己的寫眞．　他自由的表示他革命的精神常常引起一種心理上的興趣．　如在他的傑作Manfred裏他說：

『那個知得最多的人，

定必爲定命的眞理哭泣至多，
智識的樹不是生命的樹呵！』

和革命性同其强大的有他誇大狂的氣習．當 Manfred 責罵那提管人靈魂之神，時他冷笑的說：

『返去你自己的地獄！
我不覺得你有什麼權管轄我，
我知你永不能佔據我，
我已做的事已經做過了！』

其餘發現於他的作品裏的情緒，不用再舉賢明的讀者也可以知其趨向了．

六．

這個不容於當時的英倫的反叛者，於是長辭祖國，自尋他安心樂命的歸宿處．先渡大陸由萊因（Rhine）河以入瑞士．在根尼華（Geneva）湖畔聯雪萊（Shelley）夫婦和高文（God win）三人同是天涯淪落的人，同爲社會所屏棄無家可歸的不肖子，自然情投意合相見恨晚了。同年秋（一八一六年）越拿破侖大帝所經過之亞立（Alps）高峰，而到威內斯（Venice）異域裏得到古斯奧利伯爵夫人（Countess Guiccioli）的慰藉。他們互爲真誠的伴侶，直至於拜倫在意大利的終年。

拜倫遂這樣平平庸庸的安閒渡了他的天年嗎？以生性不能不動的人，那能平安死去！所以遇着希臘爲獨立自由之呼救，他仗義協助雖天不惜嶄他的天年；他的魂魄已付希臘自由之神而去！拜倫一生，儘多可以渦議的地方，但這事不得不算他生平最高貴的行止！所以噩耗傳來，少年的丁尼孫（Tennyson），也不得不含淚刻石「拜倫已死！」

八　草上

洗滌後胸懷灑落的他，沒成見地蹲着青草之上。芃芃的茸茸的蔓延了十餘方丈領域的錦茵，發現了他的存在，並不感着什麼添强。靜寂中從沒一點纖塵的天際，忽由雨點裏顯出彩虹一段，橫過天空。他握着那一杯淸水，從迴光裏顯現了宇宙的神祕。他細念天際幻影，顯沒無常，不如從那可變的幻化中留些不可變的那剎。他遂不惜把宇宙神秘所隱藏的淸水──他所有的淸水──盡行灌注於他所眷念的數根白芷之上；注後合十，祝其葳蕤。從今他心裏的蘊藩，也從淸水注入地中。

微飈拂面吹來，帶着遠道的曠爽，無心掔過草際，蕩起草上的微波。白芷所享受的淸液，難免多少被微飈帶去。蹲着的他，仰起淸耀的臉，見一雙麗旋的蝶兒，忽上忽下，不離不合，轉瞬又不知寂滅何方。他掌中仍握着琉璃的杯──空無所有的杯『白芷已忘了淸液的眷顧嗎？』他這樣想──又不欲這樣想。他念，注後淸液已不爲我有了，我心不如隨淸液注入地中罷。

天際的彩虹，已隨太陽西去，夜已漸漸逃入人間。芄萯的錦茵也帶上了暮氣。他感覺宇宙的神祕，想起友情的慰藉，遂聯想他友人和他的詩，他低聲的吟道：──

『別來風絮當何似？　夢向寒波深處流。
　依約江湖如語夜，　好抛心力釀詩愁。』

念完了，他沈沈的想着江湖語夜，忘却嶺表風淒。 草上靜寂的消遙，那能比波濤澎湃的舟夜。 他生來便帶點愁根，所以在消遙裏反發生了靜寂。『帆影下，波濤中，鄉情寄珍重』他想念及此，清癯的臉，反發現無限的靈感。 他又聯想到別一個友人—和他很有關係的友人。 他不覺又聯想起他友人索和的詩—

『南朝金粉飄零盡，　尚有嬋娟客路逢。
　借問畫欄回首處，　輕顰淺笑為誰容？』

他念完了，再把後〻句復誦了好幾次。 他的心血，震蕩速度和吟數次第增加。 手裏也同時感覺着些小冰冷的液質從皮膚裏透出。 他遂放下他手握着琉璃的杯，取出袋裏的素巾，輕輕地拭，頻頻搖首，似罕有領會。 俯親白芷，白芷已萎，微飆仍無心的輕輕地掠過草坡。 遠路的牧童，嘻嚷于水牛背上，蹦蹦地向着初路前進。 荷未帶耜的好夫婦也作罷歸來，遠道的人們，微微聞着吟聲：—

『十載離家猶作客，　故園心事付東流。
相逢偶然匆匆別，　不慣相思兩地愁。』

詩聲沈去，從此草際也不再發現他的蹤影了。

—二四，三六。

『烽烟未靖興亡感
且待春來再護花』

勘誤表

頁數	行數	錯誤	更正
目錄二	四	遊龍工江南	遊龍江南
十一	二，三	兩行連綴	兩行分隔
七二	五	於一八六一	於伊一八六一
七二	十	但 後來	但伊後來
七五	一	白浪，寧的	白浪寧的．
七五	一	新．生命	新生命．
七六	五	在 Casn	伊在 Casn
七八	五	未葉	末葉
七九	二	呼他爲，	呼他爲
八十	六	他目幼	他自幼
八七	一	眞神精	眞精神
九十	三	無，常	無常，
九一	六	索和的：詩	索和的詩：
九一	八	爲誰容；	爲誰容；
九二	三	偶然	偶爾

中華民國十三年十月十日付印

定價二毫半

著作者 甘乃光

發行者 民智書局

分售處 各大書坊